# French Grammar

## advanced/expert

Philippe DAGRANG

First Edition, 2017
© Philippe DAGRANG

Maison de la Grammaire
5 rue Rouget de Lisle
92600 Asnières-sur-Seine, France

**ISBN-13:** 978-1513631097

# CONTENTS

# - PART ONE -

## TIME

# PART ONE, Day 01 - Time: au 21e siècle, en hiver, fin semaine

**The date**, days, years, centuries
**Le** + jour | *le lundi 10 décembre, le 5 mai 1789*
**En** + année | *en 2012, en 1947*
**Dans les** + décennie | *dans les années soixante, dans les années deux-mille*
**Au** + siècle | *au XIII$^e$ siècle, au siècle prochain*

The articles are not used after: **aujourd'hui, demain, hier + date**
*Hier, 7 avril, la poste a été fermée.* | *Demain, 5 novembre, il y aura beaucoup de travail.*

To say 2005, if it's a normal year: *deux mille cinq* | If it's a historical year: *deux-mille-cinq*
We say:
*dans les années* **quatre-vingt**, *dans les années* **soixante**, ~~dans les années soixante-unième~~
*à la Renaissance, au Moyen Âge,* but ***dans** l'Antiquité,* ~~À l'Antiquité~~
***dans** l'avenir* or *à l'avenir,* but ***dans** le passé,* ~~au passé~~
We only use *au futur/au passé* to conjugate verbs: *Mettez le verbe **au** passé/**au** futur*
Use **au cours de**, not *pendant*, with *dernier/passé/prochain.*
***Au cours des** prochaines années,* **au cours des** *dix dernières années,* ~~pendant les dix dernières années~~
With a number, say: *au cours des **3 prochaines** semaines,* ~~au cours des prochaines 3 semaines~~

**Seasons, months**
**Seasons** | *en hiver, en été, en automne, **au** printemps* (printemps begins with the consonant **p**)
With precision: *l'été **dernier**, l'automne **dernier**, l'hiver **2006**, au*

*printemps* **prochain**

With *été* and *hiver*, we may also use: ***L'été/En*** *été je fais du roller.*
***L'hiver/En*** *hiver je fais du vélo.*

**Months** | **en** *mars/***au** *mois de mars,* **en** *avril/***au** *mois de mars,* **en**
*juin/***au** *mois* **de** *juin*
With *début/milieu/fin*: ***début*** *mars,* ***mi-avril*** or ***à la mi-****avril,* ***fin*** *juin*
or ***à la fin*** *juin*
We say: *début* <u>*du mois de*</u> *janvier* or ***début*** *janvier,* ~~début de janvier~~*, à
la fin* <u>*du mois d'octobre*</u> or ***fin*** *octobre,* ~~fin d'octobre~~
**Mi-/milieu** (for time and location): *viner* ***vers le milieu*** *de la
semaine, être à* ***mi-chemin****,* ~~à la moitié du chemin~~ eg: *Si je pars de
Paris en vélo le 1 août, j'arriverai* ***mi-août*** */***à la mi-****août/***au milieu du
mois d'***août.*
**Moitié** (for quantity): *dormir* ***la moitié du*** *dimanche, avoir parcouru*
***la moitié du*** *chemin, ne manger que* ***la moitié du*** *pain*

**Exercises**

***Le huit mars deux mille dix-sept,*** *une enfant a été née dans la famille.*

**A. Complete sentences if needed**
1. Demain, … 13 mai, c'est le week-end. Aujourd'hui, nous sommes
**le** 12 mai.
2. Je pars pour l'Inde … … juin, et je revins … début … … … … … … …
… … … juillet.
3. … … … … le passé, j'ai vécu en Espagne de temps en temps.
4. Même … … … années 90, beaucoup des gens utilisaient la
machine à écrire.
**B. Continue as the given example. Use your own date of birth**
1. samedi - 5 mai - 1979 été | **Emma** est née un samedi. Le samedi 5
mai. En mille neuf cent soixante-neuf. Au vingtième siècle. Elle est
née début janvier (au début du mois de janvier), en été.
2. Jeudi – 15 novembre – 1990 – automne **Michel** … … … … … … …
… … … … … … … … … … … … … … … … … … … … … … … … … … … … …
… … … … … … … … … … … … … … … … … … … … … … … … … … … …
… … … … … …
3. Mardi – 26 février – 1991 – hiver **Thomas** … … … … … … … … …

… … … … … … … … … … … … … … … … … … … … … … … … … … … … … … … …

… … … … … … … … … … … … … … … … … … … … … … … … … … … … … … … …

… … … … … … … … .

4. *Yourself* **Je** … … … … … … … … … … … … … … … … … … … … … … … …

… … … … … … … … … … … … … … … … … … … … … … … … … … … … … … …

… … … … … … … … … … … … … … … … … … … … … … … … … … … … … …

… … … … … … …

**C. To complete with *milieu, mi-* or *moitié (de)* + prepositions and articles**

1. Je suis arrivé(e) … … … … … … … … … … … … … livre que mon amie m'a prêté. J'ai déjà lu … … … … … … … … … … … chapitres !

2. Ils sont arrivés … … … … … … … … … … … … …film et ils ont manqué la première … … … ….

3. J'ai mangé … … … … … … … … … … … … … …baguette avec de la salade pour le déjeuner.

4. … … … … … mars, les billets d'avion coûtent … … … … … … … … prix habituel.

5. C'est interdit de pédaler en vélo … … … … … … … … … … … … … … … route.

# PART ONE, Day 02 - Time: le soir, du vendre au samedi, à minuit

**Hour, parts of the day**
**The formal way of saying the time uses the 24-hour format:** *Nous dinons à dix-neuf heures.*
**In everyday speech, both the 12 and 24-hour format can be used:** *à sept heures du soir/à dix-neuf heures*
With the noraml hour, *du soir, du matin...* are not necessary when the time is clear:
*À quelle heure es-tu te réveillé(e) ce matin ? – À six heures.*
*Quand je suis revenu(e) de l'Inde l'année dernière, je suis arrivé(e) à l'aéroport à trois heures du matin.*

| Time | Formal/written | Normal speech |
|---|---|---|
| **8h30** | Huit heures **trente** | Huit heures **et demie** (du matin) |
| **13h15** | Treize heures **quinze** | Une heure **et quart** (**de** l'après-midi) |
| **20h45** | Vingt heures **quarante-cinq** | Neuf heures **moins le quart** (**du** soir) |
| **4h00** | Quatre heures | Quatre heures (**du** matin) |

**À midi** means 12 noon, also said *à la mi-journée.* – Où seras-tu **à midi** ?
**Après-midi** can either be masculine or feminine: *Au revoir ! Bel/Belle après-midi !*
We only use "*et demie*", "*et quart*", "*moins le quart*" in the everyday speech.
*Il est huit heures et quart. Il est vingt heures quinze.* ~~Il est vingt heures et quart.~~

"**De**" is used to link time to the parts of the day:
*Je déjeune à 7h **du matin**. À 7h le matin.*
*Il est 1h, 2h **du matin**. Il est 2h de la nuit.*

| From midnight till 12 noon | From noon till sunset | From sunset till midnight |
|---|---|---|
| 1h, 6h, 9h **du matin** | 1h, 3h, 5h **de l'après-midi** | 7h, 9h, 11h **du soir** |

**En avance** = earlier than expected: *Nous sommes **en avance**, le départ est dans 20 minutes.*

**En retard** = later than expected: *Nous sommes **en retard**, le film a déjà commencé il y a 15 minutes.*

To precise how much earlier or later, we say: *Nous avons 20 minutes **d'avance**/un quart d'heure **de retard**.*

To anticipate the future, use: **à l'avance, d'avance, par avance** – *Je vous remercie **par avance**. / remercier **d'avance**/**par avance**, réserver **à l'avance**, remerciement en avance*

When used with a preposition, parts of the day are expressed differently. We say:

| **Le** matin | | *au début **de la** matinée / en début **de** matinée* |
|---|---|---|
| **L'**après-mid | But | *au milieu **de la** journée / en milieu **de** journée* |
| **Le** soir | | *à la fin **de la** soirée / en fin **de** soirée* |

The same rule goes for: **pendant** and **dans**
*Envoyez-moi un mail **pendant** la matinée. pendant le matin*
*Je serai chez moi **dans** la matinée. dans le matin*
We say:
- **en ce** moment, ***En ce** moment, je voyage. Au moment, je voyage*
- **au** même **moment**, *On s'est téléphoné **au** même **moment**.*
- **en** même **temps**, *Chacun chez soi, on regarde les mêmes séries télévisées et se téléphone **en même temps**. au même temps*

**Time interval**

**De... à** (interval), *Le magasin est ouvert **de** lundi **à** vendredi, **de** 8h **à** 20h, le samedi, **de** 8h **à** midi 30.*

**À partir de** (starting date), *Le magasin sera fermé durant deux semaines pour travaux **à partir de** samedi.*

**Jusqu'à** (ending date), *Le magasin est fermé **jusqu'à** lundi 15 mai.*

We say:

*de lundi à vendredi* (meaning from this Monday, until this Friday )

*du lundi au vendredi* (the same every week)

*de lundi à vendredi, de lundi jusqu'à vendredi, à partir de lundi jusqu'à vendredi,* à partir de lundi à jeudi

**Exercises**

**La transformation du magasin**

Le magasin a annoncé **à l'avance** à ses clients qu'il serait fermé **pendant** deux semaines, **du** 1ᵉʳ mai **au** 15 mai, pour travaux.

Le lundi 15 mai, **en** début **de** matin**ée**, à la surprise générale, on a trouvé le magasin converti en gymnase.

**A. Give formal/written time, then informal time.**

1. 14h15: *Quatorze heures quinze, deux heures **et quart***

2. 4h45: ...... ... ... ... ... ... ... ... ... ... ... ... ... ... ... ... ... ... ... ... ... ... ... ... ... ... ... ...
... ...

3. 21h30: ... ... ... ... ... ... ... ... ... ... ... ... ... ... ... ... ... ... ... ... ... ... ... ... ... ...
... .

**B. Complete with *matin* or *matinée*/soir/soirée + articles and prepositions** (if necessary)

- Chaque nuit je dors bien, et *le matin*, je me réveille vers 7h, et toi ?
- Moi aussi, je dors du sommeil du juste. Je me lève à six heures ... ...
.
- Qu'est-ce que tu fais aujourd'hui pendant ... ... ... ... ... ... ?
- Mon *dernier rendez-vous du jour* est à cinq heures et demie ... ... . Si tu es libre, pour diner, appelle-moi dans ... ... ... ... ... ... ...
- *dormir du sommeil du juste* (= expression, to sleep profoundly)

**C. Complete**

1. Le film commence à 15h30. Nous sommes arrivés à 15h10. Nous sommes arrivés *à l'*avance.

2. Le car Paris-Toulouse a une demi-heure … … … … … … avance.

3. Je vous remercie … … … … avance.

4. Pour être sûr d'avoir une place, réservez … … … avance.

5. J'écris un livre sur les impacts de la violence armée sur les mineurs … … … … … …

6. Plusieurs initiatives sont déjà en cours … même temps !

7. À la plage Kuta, au Bali, … … moment, il fait chaud.

8. Tout le monde est parti … même temps.

*Le car* (= long distant coach)

**D. De… à, complete the text**

Ouvert lundi/vendredi – 8h/20h – juillet/septembre, fermé 1$^{er}$ août/15/août – 12h/8h – samedi/lundi

Le restaurant est ouvert du lundi au vendredi … … … … … … … … …

… … … … … … … … … … … … … … … … … … … … … … … … … … … … … …

… … … … … … … … … … … … … … … … … … … … … … … … … … … … … …

… … … … … … … … … … … … … … … … … … … … … … … … … … … … … …

… … … … … … … …

**E. Jusqu'à/au/en, complete the text**

10h / soir / 25 novembre / 2017

hiver / mois de janvier / petit matin

Mon mari a travaillé **jusqu'à** dix heures, … … … … … … … … … … … … …

… … … … … … … … … … … … … … … … … … … … … … … … … … … … … …

… … … … … … … … … … … … … … … … … … … … … … … … … … … … … …

… … … … … … … … … … … … … … … … … … … … … … … … … … … … … …

… … … … … … … …

# PART ONE, Day 03 - Time: an/année, jour/journée

### An/année, jour/journée

**An** is used with numbers (until 1 million, not included)/**Année** is used with expressions of quantity
**An** – *1 an, 2 ans, 3 ans... 1 000 ans,, 10 000 ans, 100 000 ans*, but, *1 million d'années*
**Année** – *quelques années, une dizaine d'années, chaque année, des années et des années, combien d'années ?, compter les années*

**Jour** is used with all expressions of quantity/**Journée** is only used with **demi**
**Jour** – *15 jours, chaque jour, une dizaine de jours, quelques jours*
**Journée** – *une demi-journée*

**Mille** is invariable: *Ce proverbe est tout aussi vrai aujourd'hui qu'il l'était il y a mille ans.* ~~Il y a mille années~~
**Un millier, un million** are followed by de: *un millier d'années/des millions d'années* ~~des millions d'ans~~
**Chaque année** but **par an**, *chaque année on visite un nouveau pays/on voyage une fois par an* ~~une fois par année~~
*1 an sur 2* or *1 année sur 2* is possible, but, *2 ans sur 3* is not. **An** is only used with the expression "**1 an** sur ", all else is **année**: *2 années sur 3, 3 années sur 4* ~~3 ans sur 4~~
For duration: *quinze ans passèrent* or *quinze années passèrent* (**année** is more amplified)

**Année, journée, matinée, soirée** used with expressions of duration:
- with adjectifs, *trois longues journées, une belle année, une charmante soirée, une agréable matinée*
- with prepositions, *en fin de matinée, dans la soirée, en début*

*d'année, **en cours** de journée*

We say: *deux ans* but *deux **belles** années, cinq **longues** années, la **deuxième** année*
*Le **Nouvel An**, un **triste matin**, un **beau jour**,* etc, are time indicators, not duration

- **Bonjour/bonsoir** (=greetings)
- **Bonne journée/ bonne soirée** (=wishes)
- **Bonne nuit** (only used when going to sleep)
- **Une nuitée/deux nuitées** (one night/two nights at/in a hotel)
- **Spectacle en soirée/en matinée** (a show taking place in the evening/in the morning)
- **En pleine nuit/en plein jour** (=in the middle of the night/day)

### Exercices
**A. Complete with "An"/"Année"**
1. Dix … … …, plusieurs … … … …, une dizaine … … … …, 3 … … … …, un million … … … …, quatre mille … … … …, environ vingt … … … …, quelques … … … …, cinq … … … …, plus de soixante … … … …, un grand nombre … … … …
**B. Complete with "an"/"année", "jour"/"journée"**
1. Les négociations ont-elles duré 2 ou 3 jours ? – *Elles ont duré 3 jours.*
2. En 1991, la crise a-t-elle duré 4 ou 5 … ? – *Elle a duré 5 … … … …*
3. Les poissons sont sur la planète depuis 100 000 … … ou 400 millions d'… ? – *Les poissons sont sur la planète depuis 400 millions d' … … … …*
4. L'aurore se situe en début ou en fin de … … … … ? - … … … … … … … … … … … … … … … … … … … …
5. Le Noël se fête en fin ou en début d' … ? - … … … … … … … … … … … …
6. … … … … contient 355 ou 365 **jours** ? – … … … … … … … … … … … … … …
7. L'évaluation des résultats s'effectue une ou deux fois par … … … … ? - … … … … … … … … … … … … … … … … … … … …
8. « C'est avec des adolescents qui durent un assez grand nombre d' … … … … que la vie fait ses vieillards. » - Proust

# PART ONE, Day 04 - Time: la veille, ce jour-là, le lendemain

## Time related with the present

| Avant-hier | Hier | Aujourd'hui | Demain | Après-demain |
|---|---|---|---|---|
| matin | matin | **ce** matin | matin | matin |
| après-midi | après-midi | **cet/cette** après-midi | après-midi | après-midi |
| soir | soir | | soir | soir |
| | | **Ce** soir | | |
| La **semaine** d'avant or précédente | La **semaine** dernière or passée | **Cette semaine** | La **semaine** prochaine | La **semaine** d'après or suivante |
| Le **mois** d'avant or précédent | Le **mois** dernier or passé | **Ce mois-ci** | Le **mois** prochain | Le **mois** d'après or suivant |
| L'**année** d'avant or précédente | L'**année** dernière or passée | **Cette année** | L'**année** prochaine | L'**année** d'après or suivante |
| **Il y a** un mois/un an **Dans le** passé, autrefois, jadis | | **En ce** moment (-ci) **Maintenant** **Actuellement** | **Dans** un mois/un an **À** l'avenir, **dans** l'avenir | |

## Time related with the past and the future

| Avant-hier | La veille | Ce jour-là | Le lendemain | Deux jours |
|---|---|---|---|---|
| matin | au matin | Ce matin-là | matin | **après/plus tard** |
| après-midi | au soir | Cet/cette après-midi-là | après-midi | Le surlendemain |
| soir | | Ce soir-là | soir | |
| | | | | |
| **Deux semaines** | La **semaine** | Cette semaine-**là** | La **semaine** | Deux semaines |
| avant or | d'avant or | | d'après or | **après/plus tard** |
| plus tôt | précédente | | suivante | |
| **Deux mois** | Le **mois** | | | |
| avant or | d'avant or | Ce mois-**là** | Le **mois** | |
| plus tôt | précédent | | d'après or | |
| **Deux ans** | L'**année** | | suivant | Deux mois |
| avant or | d'avant or | Cette année-**là** | L'**année** | **après/plus tard** |
| plus tôt | précédente | | d'après or | |
| | | | suivante | Deux ans |
| | | | | **après/plus tard** |
| | | | | |
| **Plus tôt** | À ce moment-**là** | | **Plus tard** | |
| **Au cours des** | À cette époque-**là** | | **Au cours des** | |
| **semaines/années** | | | **années/semaines** | |
| précédentes | | | suivantes | |

We say:
*un mois **avant*** but *le mois d'avant* ~~le mois avant~~
*un an **après*** but *l'année d'après* ~~l'année après~~

When **après** is interchangable with **plus tard**, it's placed at the end of the phrase
*Ils sont partis et revenus une semaine **après**.* ~~Ils sont revenus après une semaine.~~
**-là** is used to indicate a moment in the past or future (**-ci** for the present)
*Dans cette photo prise sur la plage, nous étions en vacances **à ce moment-là**.*

"Il est trop tard pour moi. Hier, j'étais un homme de demain.

Aujourd'hui, je suis un homme d'hier."
From Olympe de gouges (comic book) by Catel)

**Exercises**
**A. Rewrite the sentences by replacing *Je* with *Il***
1. J'étais à Paris *il y a deux jours.*
Il était ... ... ... ... ... ... ... ... ... ... ... ... ... ... ... ... ... ... ... ... ... ... ... ... ... ... ...
... ...

2. J'ai acheté un billet d'avion *il y a trois mois.*
... ... ... ... ... ... ... ... ... ... ... ... ... ... ... ... ... ... ... ... ... ... ... ... ... ... ... ...
... ...

3. À Paris, j'ai téléphoné à ma femme et lui ai dit : « Chérie, je rentre demain. »
... ... ... ... ... ... ... ... ... ... ... ... ... ... ... ... ... ... ... ... ... ... ... ... ... ... ... ...
... ...

4. Hier j'étais fatigué du décalage horaire.
... ... ... ... ... ... ... ... ... ... ... ... ... ... ... ... ... ... ... ... ... ... ... ... ... ... ... ...
... ...

5. J'ai assuré à tous les députés de parlement européen, où j'étais la semaine dernière
... ... ... ... ... ... ... ... ... ... ... ... ... ... ... ... ... ... ... ... ... ... ... ... ... ... ... ...
... ...

6. J'étais dépressif il y a trois ans.
... ... ... ... ... ... ... ... ... ... ... ... ... ... ... ... ... ... ... ... ... ... ... ... ... ... ... ...
... ...

7. J'ai pris un congé pour dépression l'année dernière.
... ... ... ... ... ... ... ... ... ... ... ... ... ... ... ... ... ... ... ... ... ... ... ... ... ... ... ...
... ...

8. Je reprends mon travail dans deux jours.
... ... ... ... ... ... ... ... ... ... ... ... ... ... ... ... ... ... ... ... ... ... ... ... ... ... ... ...
... ...

# PART ONE, Day 05 - Time: dans, pour, pendant, en

**Dans** and **Pour**

**Dans** is used to indicate a moment in the future:

*Je finirai l'école **dans** 3 ans.* (= not before 3 years)

*Votre panier expire **dans** 15 minutes* (d'achat en ligne).

**Dans + le/la/les** is used to indicate a moment in the future starting now:

*On saura les résultats de l'examen **dans les** 5 jours.* (=within 5 days)

*Nous entendrons l'annonce **dans les** 10 minutes.*

**Compare**:

*Il est 19h15, le film va commencer **dans** 15 minutes.* (= the film starts at 7:30pm, not before)

*Le film va commencer **dans les** 15 minutes.* (= any time during the following 15 minutes)

**Pour** is used to indicate a planned time period:

*J'ai un ticket de métro **pour** une semaine.*

*J'ai un contrat **pour** 6 mois.*


**Pendant** and **En**

**Pendant** (=during), emphasizing the action taken during a said period of time:

*Il a travaillé **pendant** 18 heures sans arrêt.* (=showing the hard work)

*Il a dormi **pendant** tout le week-end.* (=showing laziness)

*Il a préparé le dîner **pendant** 2 heures.*

**Pendant** can be omitted before a number, but not when the phrase is in the negative form:

*Il a travaillé (pendant) 18 heures sans arrêt.* But, *Il n'a pas mangé **pendant** 18 heures.*

*Il a dormi (pendant) tout le week-end.* But, *Il n'a pas mangé **pendant** tout le week-end.*

There is a notion of continuation when using **pendant**:

*On a voyagé **pendant** 2 ans.* (we travelled, and we travelled... )

More verbs to be used with **pendant**: voyager, marcher, réfléchir, attendre, parler...

**En** (=in), emphasizing the time to perform an action:

*Il a mangé le dîner **en** 10 minutes.*

*On a trouvé un bus **en** 3 minutes.*

*Elle s'impose tout au long du tournoi ne concédant qu'un seul set **en** 5 matches.* (sports journalism)

There is the end result when using **en**:

*On a trouvé un billet d'avion à bon prix **en** 5 minutes.* (we now have the ticket)

More verbs to be used with **en**: trouver, finir, obtenir...

**Compare**:

*Il a travaillé **pendant** 18 heures sans arrêt.* (=he **worked hard**)

*Il a lu le livre entier **en** 3 heures.* (=it took him **3 hours**... )

When linking two numbers, say losing 10 kilos in 1 month, only **en** is possible:

*Il a perdu 10 kilos **en** 1 mois.* Il a perdu 10 kilos pendant 1 mois.

*J'ai bu 3 litres d'eau **en** 24 heures.* J'ai bu 3 litres d'eau pendant 24 heures.

Other forms of time to show;

**Result**: *J'ai **mis** 6 mois à comprendre le français.* (**mettre... à**)

**Process**: *J'ai **mis** 2 ans **pour** utiliser le français correctement.* (**mettre... pour**) *J'ai **passé** 40 minutes à manger. / Elle a **passé** sa vie à lutter contre l'injustice.* (**passer... à**) *Il m'a **fallu** 2 heures **pour** finir.* (**falloir... pour**)

Informal ways of speaking: *Ça m'a **pris** 2 semaines. / Ça m'a **demandé** 40 minutes.*

Also used with **mettre beaucoup/combien** de temps **pour**:

*Vous avez **mis combien** de temps **pour** apprendre la guitare ? – J'ai **mis beaucoup** de temps **pour** apprendre cet instrument.*


## Exercises

### A. Use the corresponding prepositions

1. J'ai un forfait Navigo ............... un mois.

2. Nous connaîtrons le résultat du match ............... quelques minutes.

3. Cette étude est ..................... trois ans.

4. J'ai signé un contrat … … … … … … … … 1 an.

5. Jérôme a dépensé 200 euros … … … … … … … … un mois pour acheter des jeux vidéo.

6. Je ferai mes prochaines courses … … … … une semaine.

7. On ne peut pas réadapter un criminel … … … … deux ans.

**B. Spot the appropriate verbs and find their corresponding prepositions**

1. J'ai **vécu** en France **pendant** 5 ans.

2. Cette société … … … 4 milliards de dollars … deux ans.

3. La réalisation d'un moule … … … de 3 à 1 semaine … quelques mois.

4. La machine … … … … sans arrêt … … … plusieurs jours.

5. On … … … … … … longtemps avant de prendre une décision.

6. Certaines personnes ont … … … des centaines de milliers d'euros … un mois.

7. On a … … … … … … … … … … … des mois précédant la mousson.

*Navigo* (= a transport subscription card used in the region of Paris)

# PART ONE, Day 06 - Time: Il y a, depuis, ça fait… que

**Il y a** and **depuis** take us back to the starting point of an event.
**Il y a** + a moment **in the past**
*Il est allé en France il y a 7 ans.*
*Je suis arrivé chez moi il y a 10 minutes.*
*Ils se sont rencontrés il y a longtemps.*
In a story taken place in the past, the verb changes to the past tense. Compare:
*Je suis arrivé chez moi il y a 10 minutes.* (I am at home now). *J'étais arrivé chez moi il y avait 10 minutes quand j'ai entendu frapper à la porte.* (past narrative)
**Depuis** + a **present** situation
*Je suis chez moi depuis 10 minutes.*
*Il n'a pas voyagé depuis 7 ans.*
*Ils se connaissent depuis longtemps.*
More verbs used with **depuis**; décoller, atterrir, abandonner, arrêter, finir, commencer, augmenter, diminuer, rajeunir, grossir, maigrir, grandir, empirer, s'améliorer, se dégrader, se stabiliser, s'effondrer, se renforcer, être associé(e), être marié(e), être divorcé(e), être fâché(e), être arrivé(e), être parti(e), être rentré(e), être sorti(e), être revenu(e), être né(e), être mort(e)
*On s'est mariés il y a 5 ans.* (happened in the past)
*On est mariés depuis 5 ans.* (situation now)
*On a arrêté de se parler il y a 2 ans.* (that was 2 years ago that we started not talking to each other, action happened in the past)
*On a arrêté de se parler depuis 2 ans.* (we never spoke again since 2 years, not speaking to each other is the current situation)
In a story taken place in the past, the verb changes to the past tense. Compare:
*Ils se connaissent depuis 7 ans.* (they know each other since 7 years).
*Ils se connaissaient depuis 2 ans lorsqu'ils se sont mariés.* (past narrative)

**Ça fait … que, il y a … que, voilà … que** place a period of time at the beginning of a sentence.

| **Ça fait** | 2 semaines | **que** | j'essaie de finir ce livre. |
|---|---|---|---|
| **Il y a** | 5 ans | (or) | on est mariés. |
| **Voilà** | 2 mois | **qu'** | il n'a pas voyagé. |

**Ça fait … que** gives a sense of regret, something you have not done:
**Ça fait** 3 semaines **que** je n'ai pas appelé chez moi. ~~Ça fait 3 semaines depuis que je n'ai pas appelé chez moi.~~
**Ça fait** 1 an **que** je n'ai pas lu un livre. ~~Ça fait 1 an depuis que je n'ai pas lu un livre.~~

! **Ça** is only used for informal dialogue, for written text, always use **cela** (Cela fait… que).

### Exercises
**A. Use** either **Depuis** or **il y a** (or both) **in your sentences, with the given verbs or phrases**

1. travailler – *Je travaille sur ce document **depuis** deux semaines. / J'ai commencé travailler sur ce document **il y a** deux semaines.*

2. être marié(s) … … … … … … … … … … … … … … … … … … … … … … … … … … … … … … … … … … … … … … … … … … … … … … … … … … … … … … … … … … … … … … … … … … … … … … … … … … … … … … …

3. arriver … … … … … … … … … … … … … … … … … … … … … … … … … … … … … … … … … … … … … … … … … … … … … … … … … … … … … … … … … … … … … … … … … … … … … … … … …

4. avoir le permis … … … … … … … … … … … … … … … … … … … … … … … … … … … … … … … … … … … … … … … … … … … … … … … … … … … … … … … … … … … … … … … …

5. acheter un vélo … … … … … … … … … … … … … … … … … … … … … … … … … … … … … … … … … … … … … … … … … … … … … … … … … … … … … … … … … … … … …

6. venir ici … … … … … … … … … … … … … … … … … … … … … … … … … … …

… … … … … … … … … … … … … … … … … … … … … … … … … … … … … … … …
… … … … … … … … … … … … … … … … … … … … … … … … … … … … … … … …
… … … … … … … … …

7. s'être marié(e) … … … … … … … … … … … … … … … … … … … … … … … …
… … … … … … … … … … … … … … … … … … … … … … … … … … … … … … … …
… … … … … … … … … … … … … … … … … … … … … … … … … … … … … … … …
… … … … … … … …

8. suivre un cours … … … … … … … … … … … … … … … … … … … … … … … …
… … … … … … … … … … … … … … … … … … … … … … … … … … … … … … … …
… … … … … … … … … … … … … … … … … … … … … … … … … … … … … … … …
… … … … … … … …

9. vendre sa voiture … … … … … … … … … … … … … … … … … … … … … … …
… … … … … … … … … … … … … … … … … … … … … … … … … … … … … … … …
… … … … … … … … … … … … … … … … … … … … … … … … … … … … … … … …
… … … … … … … …

10. boire le café … … … … … … … … … … … … … … … … … … … … … … … … …
… … … … … … … … … … … … … … … … … … … … … … … … … … … … … … … …
… … … … … … … … … … … … … … … … … … … … … … … … … … … … … … … …
… … … … … … … …

## B. Fill in the gaps with correct verbs, as shown in the first sentences

1. **(se) fâcher**: *Beaucoup de gens **sont fâchés** de cette situation depuis longtemps. / La plupart des gens **se sont fâchés** contre cette situation il y a quelque temps.*

2. **(s') associer**: *. Le public et le privé … … … … … … … … … à cet objectif depuis peu de temps. / Les décideurs et les élus … … … … … … … … … …aux appels il y a une semaine.*

3. **(se) marier**: *Leur premier enfant, la fille aînée, … … … … … … … … … depuis septembre. / Elle … … … … … … … … … à Thomas il y a 3 ans.*

4. **(s') installer**: *Cette fenêtre isolante … … … … … … … … … depuis novembre. / Une malaise … … … … … … … … … lorsqu'ils se sont quittés il y a quelques mois.*

## C. Create sentences with given phrases

1. ressentir une malaise/regarder la télé 8 heures par jour
*Il a ressenti une malaise grandissant, il y a 1 an, en regardant la télé 8 heures par jour et, depuis, il n'a plus de télé chez lui.*

2. boire de la vodka/vomir

… … … … … … … … … … … … … … … … … … … … … … … … … … … … … … … …
… … … … … … … … … … … … … … … … … … … … … … … … … … … … … … … …
… … … … … … … … … … … … … … … … … … … … … … … … … … … … … … … …

… … … … … … …

3. parler trop/perdre sa voix

… … … … … … … … … … … … … … … … … … … … … … … … … … … … … … … … … … …
… … … … … … … … … … … … … … … … … … … … … … … … … … … … … … … … … … …
… … … … … … … … … … … … … … … … … … … … … … … … … … … … … … … … … … …
… … … … … … …

4. conduire trop vite/avoir un accident de voiture

… … … … … … … … … … … … … … … … … … … … … … … … … … … … … … … … … … …
… … … … … … … … … … … … … … … … … … … … … … … … … … … … … … … … … … …
… … … … … … … … … … … … … … … … … … … … … … … … … … … … … … … … … … …
… … … … … … …

# PART ONE, Day 07 - Time: Dès que/depuis que, aussitôt/à peine

**Dès and Depuis (que)** show to the starting point of an action or a situation.

**Dès**, the immediate start:

*Le bus part **dès** 7 heures.*

*On revient **dès** lundi.*

*J'ai allumé l'ordinateur **dès que** je suis arrivé chez moi.*

*Je l'ai fait **dès que** j'ai eu quelques minutes.*

**Depuis**, the starting point + duration:

*On est en route **depuis** 7 heures.*

*On est ici **depuis** lundi.*

*Je suis assis à l'ordinateur **depuis que** je suis arrivé chez moi.*

*Le problème alimentaire existe **depuis que** le monde existe.*

Duration with **depuis** and **dès**, the difference:

*On travaille sur ce projet **depuis** janvier.* (since January) ~~On travaille sur ce projet dès janvier.~~

*Il tape sur le clavier de son ordinateur **dès** son arrivé chez lui.*

(continually, without stop) ~~Il tape sur le clavier de son ordinateur depuis son arrivé chez lui.~~

When **depuis que** is used to show a starting *age*, the verb is in the present forme:

*Je roule à vélo **depuis que** j'ai 6 ans.* ~~depuis que j'avais 6 ans~~

*Je suis bilangue **depuis que** je suis petit.* ~~depuis que j'étais petit~~

If possible, without verb is preferable: ***Depuis l'âge de 6 ans, je roule à vélo.***

**Désormais/dorénavant** (=from now on, starting from the present moment):

***Désormais/dorénavant** nous finançons des projets plus long terme.*

**D'ores et déjà** (=already underway at the time of speaking):
*Un inventaire des matériels pédagogiques sur les droits de l'homme est d'ores et déjà en préparation.*

**Aussitôt/sitôt/à peine** (... **que**), the written forms to show the immediate start (the same as "dès que" in meaning):
*Il repartit **aussitôt** qu'il arriva.*
***Sitôt que** j'installai ici, je sentis heureux.*
***À peine** finit son assiette, il eut encore faim.*
**À peine** is placed at the beginning of a phrase, placing the subject after, but not always when verbs composed with être:
***À peine** était-il parti **qu'**il était revenu.*

**Sitôt dit, sitôt fait** (action follows words immediately):
*Je pars, a-t-il dit. **Sitôt dit, sitôt fait**, il n'était plus là.*

**Exercises**
**A. Depuis, dès**
1. Elle l'aime **depuis** la première rencontre.
2. ... l'âge de 16 ans, il a commencé à fumer.
3. ... l'âge de 16 ans, il fume.
4. Notre secteur préscolaire s'occupe d'enfants ... l'âge de 3 ans.
5. ... octobre, je porte ce manteau.
6. ... l'âge de 6 ans, j'ai aimé des manteaux rouges.
7. ... juin la météo est bonne.
8. ... le début du juin la météo est devenue meilleure.
**B. Depuis que, dès que, complete the sentences the way you prefer**
1. Je vous préviendrai **dès que** j'en saurai plus.
2. Sa femme a décidé de quitter son poste ... ... ... ... ... ... ... ... ...
3. J'achèterai un nouvel ordinateur ... ... ... ... ... ... ... ... ... ... ... ...
4. Il a l'air plus heureux ... ... ... ... ... ... ... ... ... ... ... ... ... ... ...
...
5. Il faut manger la glace ... ... ...
6. Prenez la dose prescrite ... ... ... ... ... ... ... ... ... ... ... ... ... ... ...
... ...
**C. Depuis que, dès que, complete sentences as shown**

~~le voir~~ / perdre un ami / naître / voir une personne inconnue / ouvrir les marchés / commencer à pleuvoir / être hospitalisé(e) / tenir un crayon / trouver une solution / élargir un réseau

1. Je lui passerai le message **dès que je le vois.**
2. Je mange plus les cuisines de rue ... ... ...
3. Le chien aboie ... ... ...
4. Elle se sent dépressive ... ... ...
5. Certains animaux peuvent marcher ... ... ...
6. Je pense à mon parapluie ... ... ...
7. On a plus des résultats ... ... ...
8. J'ai commencé à dessiner ... ... ...
9. Nous sommes plus prospères ... ... ...
10. Un autre problème apparaissait ... ... ...

**D. Dès que/aussitôt que, follow the given examples**

1. Finir ce travail/te téléphoner

*Je te téléphonerai dès que j'aurai fini ce travail.*

*Je te téléphonerai aussitôt que j'aurai fini ce travail.*

2. Comprendre/il me vouloir flatter

... ... ... ... ... ... ... ... ... ... ... ... ... ... ... ... ... ... ... ... ... ... ... ...
... ... ... ... ... ... ... ... ... ... ... ... ... ... ... ... ... ... ... ... ... ... ... ...
... ... ... ...

3. Manquer son aventure/être sur pieds

... ... ... ... ... ... ... ... ... ... ... ... ... ... ... ... ... ... ... ... ... ... ... ...
... ... ... ... ... ... ... ... ... ... ... ... ... ... ... ... ... ... ... ... ... ... ... ...
... ... ... ...

4. Reconnaître/le voir

... ... ... ... ... ... ... ... ... ... ... ... ... ... ... ... ... ... ... ... ... ... ... ...
... ... ... ... ... ... ... ... ... ... ... ... ... ... ... ... ... ... ... ... ... ... ... ...
... ... ... ...

# PART ONE, Day 08 - Time: expressions

**Dans** Present: *Je reviens **dans** deux minutes.* (not before two minutes) Future: *Je reviendrai **dans** deux semaines.*

**En** Present: *Je finis manger **en** cinq minutes.* (takes me five minutes to finish) Future: *Je finirai manger **en** cinq minutes.* Present perfect (=passé composé): *J'ai fini manger **en** cinq minutes.* Past: *Avant, je finissais manger **en** cinq minutes.*

**Pour** Present: *Je pars en vacances **pour** trois jours.* Future: *Je partirai en vacances **pour** trois jours.* Present perfect: *Je suis parti en vacances **pour** trois jours.* Past: *Avant 2017, je partais en vacances **pour** deux semaines chaque année.*

**Pendant** Present: *Je travaille **pendant** 8 heures d'affilée.* Future: *Je travaillerai **pendant** 8 heures.* Present perfect: *J'ai travaillé **pendant** 8 heures.* Past: *Je pouvais travailler **pendant** 5 heures d'affilé, pas plus, quand j'étais jeune.*

**! Pendant** can be left out in any of these example sentences.

**Il y a** Present perfect: *Son premier enfant est né **il y a** 7 ans. Elle a commencé apprendre le français **il y a** 5 ans.* Past: ***Il y a** 6 ans, elle n'avait pas un mot de français.* Past perfect (plus-que-parfait): ***Il y a** 6 ans, elle avait pensé à étudier le français.*

**Depuis** Present: *Il est au travail **depuis** 9 heures.* Present perfect: *Il n'a rien mangé **depuis** 15 heures.* Past and past perfect: *Quand elle apprenait le français niveau débutant il y a 5 ans, elle en avait déjà pensé **depuis** un moment.*

**Il y a … Ça fait … Voilà … que** Present: ***Voilà/Ça fait/Il y a** 8 heures que je travails.* Present perfect: ***Voilà/Ça fait/Il y a** 10 minutes que j'ai fini le travail.* Past perfect: *Quand nous avons arrivés en voiture, **ça faisait** quelque temps que l'animal était parti.*

**Depuis que** Present: *Il ne répond plus aux appels sur son portatif **depuis qu**'il est au travail.* Present perfect: *Il éteint son portatif **depuis qu**'il est arrivé à son poste de travail.* Past: *Il ne regardait plus **depuis qu**'il avait eu un problème des yeux.*

**Dès que** Present: *J'allume mon ordinateur **dès que** j'arrive au travail.*

Present perfect: *J'ai allumé mon ordinateur **dès que** je suis arrivé au travail.* Past: *j'allumais mon ordinateur **dès que** j'arrivais chez mois.*

**Expressions in questions**

*Elle étudie le français depuis cinq ans.*
***Depuis combien de temps** étudie-t-elle le français ?*
***Ça fait combien de temps** qu'elle étudie le français ?*
***Il y a combien de temps** qu'elle étudie le français ?*

*Elle a voyagé dans les Caraïbes il y a 7 ans.*
*Elle a voyagé dans les Caraïbes **il y a combien de temps** ?*
***Ça fait combien de temps** qu'elle a voyagé dans les Caraïbes ?*
***Il y a combien de temps** qu'elle a voyagé dans les Caraïbes ?*

*Je mets 10 minutes pour boire mon café.*
***Vous mettez combien de temps** pour boire votre café ?*
***Il vous faut combien de temps** pour boire votre café ?*

*J'ai travaillé (pendant) 8 heures aujourd'hui.*
*Vous avez travaillé **(pendant) combien de temps** aujourd'hui ?*
***(Pendant) combien de temps** avez-vous travaillé aujourd'hui ?*

*Le bus part dans deux minutes.*
*Le bus part **dans combien de temps** ?*
***Dans combien de temps** part le bus ?*

*Je pars pour l'Espagne ce soir.*
*Vous partes **pour combien de temps** ?*
***Pour combien de temps** partez-vous pour l'Espagne ?*

**Exercises**
**A. Use Il y a..., ça fait... que), dans, depuis, dès que, pour, pendant, en to fill the gaps**
1. Il faut passer sa commande avant midi pour une livraison **dans** deux jours.
2. ... ... .. je n'ai pas eu des vacances. Je me sens très fatigué.
3. Ça pourrait prendre jusqu'à un an ce que nous avons accompli ...

trois semaines.

4. J'ai eu la chance d'assister à une rencontre avec des personnes très intéressantes … … … quelques jours.

5. Réaliser une autre évaluation … … … … … … … … … ne sera pas possible, on a mis 8 mois pour la dernière.

6. L'aérogare de la ville est exploitée au-delà de sa capacité … … … … … … … … … … … …

7. Chaque soir mon père court … … … 30 minutes.

8. J'ai fait nettoyage … … … j'ai fini la réparation de la voiture.

9. Des moustiques sont partout … … … l'été.

**B. Ask questions using time expressions**

1. Je vis en France depuis 7 ans.

*Depuis combien de temps que* vivez-vous en France ?

*Ca fait combien de temps que* vous vivez en France ?

*Il y a combien de temps que* vous vivez en France ?

2. L'Allemagne a gagné le Championnat d'Europe de football masculin il y a une vingtaine d'années.

3. Max met 1 heure pour préparer.

4. On a parlé pendant des heures.

5. Je te passerai un coup de fil dans 2 heures.

6. Il est parti dehors.

26

… … … … … …

# - PART TWO -

## PLACE

# PART TWO, Day 09 - Place: dans, sur, à, chez

**Dans** is placed before a place name, such as streets, living quarters, parks (closed or limited spaces)

*dans la rue Vivienne*

*dans le quartier latin*

*dans l'Impasse Ronsin*

**Sur** is placed before roads, paths, boulevards, docks (open or large spaces)

*sur le Boulevard Raspail*

*sur le Quai d'Orsay*

*sur l'autoroute A14*

If the place is well known, use **à** instead: *aux Champs-Élysées, au Taj Mahal, aux Pyramides*

To give an address:

*Quelle est votre adresse, s'il vous plaît ? – Rue Vivienne / Au 17, rue Vivienne* ~~à la rue Vivienne~~

**À** is used for shops, offices, acronyms with articles

*à la librairie, à la pâtisserie, au garage, à la gare, à la BBC*

**Chez** is used before a person, proper nouns, acronyms without articles

*chez le libraire, chez la pâtissière, chez Toyota, chez SNCF* (=société nationale des chemins de fer français)

**Chez** can be used with a group as a whole

*25 ans est l'âge adulte chez les humains.*

*De chez quelqu'un : Je viens d'arriver de chez mon amie.* ~~Je viens d'arriver de mon amie.~~

**À** is used before a place in general, **dans** is used before a place specific:

|  | *au* lit. |  |
|---|---|---|
| *Il est* | *au* bureau. | general |
|  | *au* café. |  |

--- ---

|  | *dans* son lit. |  |
|---|---|---|
| *Il est* | *dans* le bureau de son collège. | specific |
|  | *dans* le café en bas de son immeuble. |  |

The same rule applies to **en** and **dans**:

|  | *en* ville. |  |
|---|---|---|
| *Il est* | *en* banlieue. | general |
|  | *en* classe. |  |

--- ---

|  | *dans* son ville natale. |  |
|---|---|---|
| *Il est* | *dans* la banlieue parisienne. | specific |
|  | *dans* la classe de français. |  |

*Je viens en train.* (transport) *Je lis dans le train.* (space) ~~Je viens dans le train.~~

General: *à la montagne, à la compagne, à la mer*

Specific: *dans les Alpes* ~~Il va aux Alpes.~~ *sur la Côte d'Azur, sur/dans une île* ~~à la Côte d'Azur~~

## Exercises

### A. Complete with Dans or Sur

*Pour aller à pied de la Tour Eiffel aux Champs-Élysées, vous marchez*

1. **sur** le Quai Branly,
2. ... ... ... ... le Pont de l'Alma,
3. ... ... ... ... le quartier d'Alma,
4. ... ... ... ... l'avenue Montaigne,
5. ... ... ... ... la place de la Reine Astrid,
6. ... ... ... la rue Jean Goujon.

**B. Complete with; à, au, en, chez, dans, use articles (when necessary)**

1. Où peut-on acheter le pain ? – **Chez le** boulanger.
2. Où peut-on acheter du piment ? - … … … … épicerie.
3. Où se fait-on soigner les yeux ? - … … … … ophtalmologiste.
4. Où as-tu acheté cette cuisinière ? - … … … … Darty.
5. Où apprend-on le français ? - … … … … Alliance française.
6. Où apprend-on le métier de coiffeur ? - … … … … école spécialisée.
7. Où travaillent les académiciens ? - … … … … … Académie française.
8. Où vivent les fermiers ? - … … … … campagne.
9. Où vivent les malades ? - … … … … hôpital.
10. Où lis-tu un livre le soir ? - … … … … lit, … … … … mon lit !
11. Comment es-tu venu ici ? - … … … … bus, … … … … bus 175.

# PART TWO, Day 10 - Place: dessus, dessous, dedans, dehors

**Dans, hors de, sur, sous...** are prepositions, followed by/preceding nouns

**Dans**, *dans le village*, within/inside the village

**Hors de**, *hors du village*, outside the village, beyond village limits

**Sur** la table (=on the table, touching the top of the table)

**Sous** la table (=under the table, touching the underneath of the table)

**Au-dessus de** la table (=above the table, not touching)

**Au-dessous de** la table (below the table, not touching)

**Au-dessous de/en-dessous de** (interchangeable): *au-dessous de seuil de pauvreté/en-dessous de seuil de pauvreté*

**Par-dessus/par-dessous**, *par-dessous tout...* (both used without "de")

**Sous** can be used as interchangeable with **au-dessous de**, *sous la table/au-dessous de la table,* in this case not touching the table.

If it's about a person, use only **au-dessous de**, not sous: *Je suis son chef. Il est **au-dessous de** moi.* ~~Il est sous moi.~~

In an appartement building, *au-dessus de **chez** lui/au-dessous de **chez** moi...* ~~au-dessous de lui~~

**Dedans, dehors, dessus, dessous** are adverbs.

**Dehors** : *s'il fait beau aujourd'hui, on déjeune **dehors**.*

**Dedans** : *J'ai emballé une boîte, j'ai mis tous les documents **dedans**.*

**Dessus ≠ dessous/au-dessous/en dessous**

*Prends une étiquette, écris ton nom **dessus**. Et si l'étiquette ne colle pas bien, mets un peu de colle **dessous**.*

*Un hélicoptère vole **au-dessus**, avec des grandes lettres brillantes écrites **dessus**.* ("au-dessus", not touching, voler "au-dessus"; "dessus", touching, écrites "dessus")

*Je ne trouve pas l'une de mes chaussettes. – Regarde au-dessous du lit. Regarde **au-dessous/en dessous**.*

Composed adverbs:

**Là-dessu/dessous,** *Écris ton nom **là-dessus**.*

**Là-dedans,** *Je vais mettre tous ces documents **là-dedans**.*

**Par-dessus/dessous,** *Sauter **par-dessus** l'obstacle/Glisser **par-dessous** l'obstacle*

**Ci-dessus/dessous,** *Écris **ci-dessous/ci-dessus**.*

Some remarks:

For *une chaise/un banc/un canapé*, use *"sur"*: **sur** *une chaise*, **sur** *un banc*, **sur** *un canapé*

For *un fauteuil*, use *"dans"*: **dans** *un fauteuil*

**Dans** *le vent*, **sous** *la pluie*, **à** *l'ombre*, **au** *soleil*

**Dans** *un journal*, **sur** *une affiche*, **sur** *internet*, **à la** *télé*, **à la** *radio*

## Exercises

## A. Complete with Au-dessus de, au-dessous de, en dessous de, par-dessus, par-dessous + articles

1. Cela fait très chaud quand la température dépasse **au-dessus de** 30°C/86°F.

2. ... ... ... ... ... ... l'objectif de maintenir l'élévation de la température mondiale ... ... ... ... ... ... ... ... ... 2°C/35.6°F par rapport aux niveaux de l'ère préindustrielle

3. L'avion vole ... ... ... ... ... ... ... ... des montagnes.

4. Le bateau passe ... ... ... ... ... ... ... le pont.

5. l'âge de l'adolescence est ... ... ... ... ... ... ... ... 18 ans

6. Cette idée est passée ... ... ... ... ... ... ... ... ... ... ma tête.

7. L'eau bout ... ... ... ... ... ... ... ... 100°C/212°F.

8. L'animal s'est glissé ... ... ... ... ... ... ... l'obstacle.

## B. Make opposite sentences

1. Le chapeau est <u>sur la table.</u> – *Le chapeau est sous la table.*

2. Il pleut aujourd'hui : déjeunons <u>dedans</u>. – *Il fait un beau soleil ... ... ... ....*

3. Cet endroit n'est pas chez nous : restons <u>à l'extérieur</u> d'ici. – *Restons ... ... ... ... ... ... ... notre terrain.*

4. Mon numéro de téléphone est écrit <u>ci-dessus</u>.

5. J'ai des nouveaux voisins <u>au-dessus de chez</u> moi.

6. Il y a une gare <u>dans la ville</u>. – Il y a une aérogare ... ... ... .. ... ... ... la ville.

## C. Complete sentences

1. Il fait froid … … … … … … … … … ombre.

2. Je regard un match … … … … … … … … … … télévision.

3. Il fait chaud … … … … … … … … … soleil !

4. Le chat dort … … … … … … … … … … chaise.

5. Je n'aime pas marcher … … … … … … … … … pluie.

6. On trouve les informations facilement … … … … … … … … … internet.

7. Je m'assieds … … … … … … … … … fauteuil, et j'écoute le journal … … … … … … … radio.

8. Si je m'assieds … … … … … … … … … canapé, souvent je m'endors.

## D. Make sentences as shown

1. … … … …. trottoirs. - *Nous marchons **sur les** trottoirs.* 2. … … … … … … boîtes. 3. … … … …. pont. 4. … … … …. bancs. 5. … … … … … … tente. 6. … … … … … … métros.

# PART TWO, Day 11 - Place: devant, derrière, en haut, en bas

**Devant ≠ derrière** indicate location: *Tu es **devant** moi. Je suis derrière toi.*

**Avant ≠ après** indicate time: *Il est 9h30. Il est **avant** 10h00 et **après** 9h00. / « Il y a des gens qui parlent un moment **avant** que d'avoir pensé ».* (La Bruyère, les Caractères, V, 15)

**En avant ≠ en arrière** indicate movement: *Marcher **en avant** est plus facile que marcher **en arrière**.*

**À l'avant/à l'arrière** indicate location inside a vehicule: *On a pris le même train mais on ne s'est pas vus ; moi j'étais assis(e) **à l'avant** et toi t'était assis(e) **à l'arrière**. / Le type était assis **à l'arrière** du bateau. Derrière toi/devant toi, derrière la maison/devant la maison* (without preposition): *Le jardin est **derrière la** maison.* ~~Le jardin est derrière de la maison.~~ *La voiture est garée **devant la** maison.*

When to precise an object: *la fenêtre **de** derrière,* ~~la fenêtre derrière,~~ *la porte **de** devant*

**En face de ≠ dos à**, according to the position of the face: *Je m'assois **en face de/dos à** la télévision. / Se tenir debout **dos au** soleil*

**Au dos de**, on the back of a page/book...: *Signez votre nom **au dos de** la carte, s'il vous plaît !*

**Face à**, when talking about ideas: ***face à** la violence, faire **face à** la menace*

**Par-devant/par-derrière** indicate a passage (eg, behind a house): *L'animal est sorti **par-derrière**. / Nous sommes entrés **par-devant**.*

In a building, **en haut/en bas** : *Charles, il habite **en haut**. / J'entends les portes s'ouvrent **en bas**.*

To indicate a geographic landmark, **au pied/au sommet** : *au pied de la colline / **au sommet** de la montagne*

Lowest/thurthest, **au fond** : *On ne voit rien **au fond** du tunnel.*

**Par terre** (=at the ground level) : *J'ai trouvé une clé tombée **par terre**.*

**À gauche/à droite**, position or direction: *Le village se situe **à gauche**. / Tournez **à droite** !*

**Au rez-de-chaussée** (=one the 1<sup>st</sup> floor (US), on the ground floor (UK), **au 5<sup>e</sup> étage** (=on the 6<sup>th</sup> floor (US), on the 5<sup>th</sup> floor (UK)) : *Quand on met un premier pas dans une maison, on est **au rez-de-chaussée**. / Vivre **au 5<sup>e</sup> étage** sans ascenseur est dur.*
*Habiter **au 3<sup>e</sup>** étage* dans/sur le 3<sup>e</sup> étage
*à droite* or *sur la droite* à la droite

| **D'un côte...** **de l'autre (côté)** | talking about locations | **D'un côté...** **d'un autre côté** | talking about ideas |
|---|---|---|---|
| *D'un côté il y a la gare, et de l'autre (côté), il y a un centre commercial.* | | *D'un côté, on est assez d'accord avec le projet, d'un autre côté, cela nous coûtera trop cher.* | |

**Exercices**
**A. Make opposite sentences**
1. La petite porte est **devant** la maison. – *La petite porte est **derrière** la maison.*
2. Ralentissons un peut, nous sommes trop **en avant**. – Dépêchons, nous sommes trop ... ... ...
3. Nous sommes assis **à l'avant** du train. - ... ...
4. La piscine est **devant** la maison. - ... ...
5. Je lis un livre **en face de** la fenêtre. - ... ...
6. L'animal a dû sortir **par-devant**. - ... ...

**B. Fill in the gaps**
1. Il y a une autre voiture **devant** nous.
2. On n'a pas de temps. On part ... ... 9h00.
3. Recule ! Bouge un peu ... ... ...
4. Papa est ... ... ..., au volant.

5. Il y a un petit jardin … … … … … … la maison.

6. Je ne vois plus l'image. Je m'assois … … … … … … la télévision.

7. La quatrième de couverture se trouve … … … … … … 'un livre.

8. Il n'est pas en mesure de faire … … … … … … ses engagements.

9. Personne ne nous a vus. Nous sommes sortis … … … … … … … … …

10. Dans cet immeuble de deux étages, en ce moment, il n'y a que deux personnes qui vivent ; Monsieur Dupont … … … … … … et le gardien … … … … … …

11. En automne, il y a des feuilles mortes … … … … … …

12. … … … … … … …, je suis assez d'accord avec ses idées, mais … … … … … … …, je n'en suis pas.

13. … … … … … … de la rivière, il y a un champ de blé, … … … … … … il y a de la forêt.

# PART TWO, Day 12 - Place: entre, parmi, près, proche

*Entre deux côtés.*
**Parmi** *les habitants de la ville.*
**Trois de vous** *venez avec moi.*
**Entre** (=between two units, or multiple choices) : *Il y a une ruelle* **entre** *les deux maisons. /* **Entre** *tous ces maisons, difficile de dire quelle est la plus belle.*
**Entre autres** (=among others) : *J'aime bien les couleurs,* **entres autres** *les couleurs vives.*
**De tous/d'entre tous** (=among all) : *De tous les couleurs, c'est la couleur bleue que je préfère.*
**Parmi** (=among several units, or =in, with a collective) : *Cette chanson est* **parmi** *les meilleures. /* **parmi** *la population humaine /* **parmi** *la foule*
When the quantity is known, use **deux de** *mes enfants,* **trois de** *mes copains,* **plusieurs de** *mes amis*
Before a personal pronoun, use *beaucoup* **d'entre nous,** *plusieurs* **d'entre vous,** *combien* **d'entre eux** ~~plusieurs de vous, combien d'eux~~
*Des milliers d'espèces* **parmi lesquels** *les orques, les ours polaires, les loutres marines qui vivent plus de 200 ans.* ~~parmi qui~~
*Il y a plusieurs raisons* **parmi lesquelles**... ~~parmi qui~~

*Maintenir sa dignité* **parmi** *la corruption.* (Montaigne) / *Mais* **parmi** *ce plaisir quel chagrin me dévore !* (Racine)

*J'habite* **près de** *chez mes parents.*
*Mes parents et moi, nous sommes très* **proches.**
*Je suis* **à** *10 minutes* **de** *chez mes parents.*
**Près** (=distance in space) : *Ma femme travaille* **près de** *chez nous.*
**Proche** (=distance emotional, or affinity) : *Tous mes frères et sœurs, on est très* **proches.** */ L'espagnol est* **proche du** *français.*
With verbs of state, we use **proche** as adjectif; être, *La gare* **est proche.** sembler, *La montagne* **semble proche d'**ici. paraître, *La pleine*

lune *paraît proche de* la terre.

With verbs of action, we use **près de**; habiter, *J'habite près de* chez mes parents. travailler, *Ma femme travaille près de* chez nous. vivre, *Nous vivons près de* la campagne. ~~J'habite proche de chez mes parents.~~

**À... de** measures a distance both in kilometers and in time:
*Je suis à 2 kilomètres de chez moi. / Je suis à 10 minutes de chez moi.*

**Auprès de** (=in the vicinity, nearby) : *Les parents restent auprès de l'enfant aux centres commerciaux.*

Notice the spelling difference:
*Je suis prêt à m'engager.*
*Je suis près de chez mes parents.*
*Les vaches broutent dans le pré.*

## Exercises

**A. Fill in the gaps with; entre, parmi, plusieurs de, d'entre, entre autres**

1. Le choix est **entre** tes deux mains.
2. ... ... ... ... ... ... ces deux, je choisis celle-là.
3. Combien ... ... ... ... ... ... connaissent cette chanson ?
4. M. Dupont a 102 ans. Il est le plus âgé ... ... ... ... ... ... la population du village.
5. ... ... ... ... ... ... membres de ma famille se ressemblent complètement : ma mère et ma sœur.
6. Un animal s'est caché ... ... ... ... ... ... les arbres.
7. On a une piscine ... ... ... ... ... ... les deux maisons.
8. C'est difficile de choisir ... ... ... ... ... ... tous ces candidats.
9. Beaucoup ... ... ... ... ... ... nous veulent rester chez soi le week-end.
10. Il y a beaucoup de secrets ... ... ... ... ... ... eux.
11. ... ... ... ... ... ... les fromages, c'est le roquefort que je préfère.
12. Les Hollandais, beaucoup ... ... ... ... ... ... eux sont bilingues.

**B. Complete with Proche/près (+ de + article)**

1. Je me sens **proche de** mes parents.
2. Elle habite ... ... ... ... ... ... parc.
3. J'aime marcher ... ... ... ... ... ... rivière.

4. Le catalan est une langue … … … … … … espagnol.

5. Reste … … … … … … moi.

6. Où est le supermarché le plus … … … … … … ?

7. La perspective d'une révolution semble … … … … … … qu'elle ne l'a jamais été.

# PART TWO, Day 13 - Place: ici, là, là-bas

**Ici** and **là** indicate the distance, from the location of the speaker
Introducing where the speaker is: *Ici, à Paris, il fait gris.*
When calling somebody on the phone: *Allô, ici M. Dupont, je vous appelle pour...*
When both means the same location: *C'est ici qu'on t'a volé le vélo ?*
*– Oui, c'est là.*
When showing two locations in the same place: *Quelle pagaille ! Des affaires sont jetés ici and là.*
*Je suis là.* (I am present, the location may change.)
*Allô, oui c'est moi. Tu n'es pas là ! Je t'ai cherché partout dans la maison. – Mais je suis là, au café, au coin de la rue.*
*C'est ici que j'ai rencontré mon mari. C'est ici qu'il m'a embrassé pour la première fois. Et c'est là où nous habitons.* ~~C'est ici où il m'a embrassé.~~
**Là** placed at the beginning of a phrase means "in that place/at that moment":
*- Santiago, mon petit-ami pendant des années d'Erasmus, je ne l'ai pas vu depuis 7 ans. Mais hier soir en promenant en pleine rue de Paris, on s'est croisé nez à nez. Là, j'étais surprise.*
*- Et tu l'as dit, Je t'aime mon amour ?*
*- Mais non, tu sais bien que je suis une femme mariée maintenant !*

**Là-bas** indicate a distant place, from the location of the speaker
*L'enfant n'est pas ici ! – Oui, je sais. Il est là-bas, au parc, avec son père.*
*Là-bas, en Inde, la vie était dure mais on était heureux.*
*J'ai envie de repartir là-bas, en voyage.*
With verbs attached to a place with a certain duration; "être", "habiter", "vivre", "grandir", "passer sa vie", "passer les vacances", "rester", "travailler", "faire des études", "naître", "mourir" (verbs assigned to a place), replace **là-bas** with **y**:
*J'aime bien Montpellier. J'y ai fait mes études. J'y passe mes vacances d'été.*

*Ici c'est chez moi. J'**y** habite depuis 1997.*

*Léo, il habite à Paris. Il **y** est né dans le 10ᵉ.*

Pay attention: *On mange bien **là-bas**.* but *Elle **y** a grandi.*

With punctual verbs such as "faire", **y** is used to emphasize, otherwise optional:

*J'était dans le quartier Opéra le week-end dernier. J(y) ai fait des courses. Même mon nouveau serre-tête, j'**y** ai acheté.*

Expressions

**La mode d'ici** (=fashion in this country)

*On va se voir vendredi, mais on s'appelle **d'ici là**.* (= before Friday)

C'est **par ici/par là** (=that way/this way)

**Jusqu'ici/jusque-là** c'est dur. (=until now)

**Exercises**

**A. Use Là-bas and y, follow the examples given**

1. Inde/vivre – *Vous étiez en Inde ? / Vous avez vécu(e) longtemps **là-bas** ? / J'**y** ai vécu plusieurs années.*

2. États-Unis/rester … … … … … … … … … … … … … … … … … … … … … … … … … … … … … … … … … … … … … … … … … … … … … … … … … … … … … … .

3. Japon/travailler … … … … … … … … … … … … … … … … … … … … … … … … … … … … … … … … … … … … … … … … … … … … … … … … … … .

4. Bali/voyager … … … … … … … … … … … … … … … … … … … … … … … … … … … … … … … … … … … … … … … … … … … … … … … … … … .

**B. Highlight with *c'est***

|   | place | event |
|---|-------|-------|
| 1 | parc | acheter ses livres |
| 2 | boulangerie | trouver vos clés |
| 3 | librairie | travailler |
| 4 | bâtiment | se promener |

| 5 | coin, à côté de l'armoire | acheter le pain |
|---|---|---|

1. *Tu vois ce **parc** : **c'est là où** je me promène.*

2. … … … … … … … … … … … … … … … … … … … … … … … … … … … …
… …

3. … … … … … … … … … … … … … … … … … … … … … … … … … … …
… …

4. … … … … … … … … … … … … … … … … … … … … … … … … … … …
… …

5. … … … … … … … … … … … … … … … … … … … … … … … … … … …
… …

## C. Follow the given examples

1. Il est né à Paris et **il'y a** grandi.
2. J'étais au bar et **j'ai** pris un café noir.
3. J'adore Pokhara : … … … … … … … passé trois semaines.
4. Je suis allé au parc et … … … … … … … lu un chapitre de mon livre.
5. Je connais la Provence : … … … … … … … habité longtemps.
6. C'est le lycée Joffre de Montpellier : … … … … … … … fait mes études.
7. J'ai visité le Louvre et … … … … … … … pris plusieurs centaines de photos. / J'ai visité le lac et … … … … … … … pris une superbe photo.
8. J'ai attendu au bar et … … … … … … … lu quelques articles dans un journal. / J'ai attendu au bar et … … … … … … … lu un journal entier.
9. Elle est allée au cinéma et … … … … … … … vu un film.
10. L'août dernier on est parti pour la montagne et … … … … … … … resté 4 semaines.

44

# PART TWO, Day 14 - Place: venir, aller, apporter, emporter, rentrer

**Venir**, to come to **where the speaker** is: *Viens, chérie. / Venez chez mois. – D'accord. À quelle heure vient-on ?*
To answer a call, we use "*J'arrive*" rather than "*Je viens*": *Léo, t'es prêt ? – J'arrive.*
**Aller**, to go to **another place**: *On va aller au cinéma.*
**Revenir**, to come once more to **where the speaker** is: *Je reviendrai demain, à même heure.*
**Retourner**, to go once more to **another place:** *Je retourne à Versailles. J'ai aimé la promenade au jardin la dernière fois.*
**Se retourner** (=to turn head around), *Je me suis retourné(e) quand j'ai entendu un pas derrière moi.*
**Retourner** quelque chose (=to turn something over), *Retourner un morceau de viande sur le gril / Retourner un tableau*
**Rentrer** (=to return (home, to your country), *Je suis fatigué(e), je rentre à la maison.*
With "arriver", "revenir", "rentrer", *depuis* is possible: *Je suis arrivé(e) depuis 10 minutes. / Elle est revenue depuis quelques instants seulement.*
With "venir", *depuis* is not possible: ~~Elle est venue depuis quelques minutes.~~
Means of transportation: **en** voiture, **en** bus, **en** bateau, but: **à** pied, **à** cheval, **à** dos **de** chameau/**d'**âne
With vélo/bicyclette/moto/ski, we may use either **à** or **en**, *Je suis venu en/à moto. / Je promène à/en vélo.*
We travel "en train/en avion", we transport un object "par le train/par l'avion": *Il est venu en train. / Cet objet est venu par l'avion.*

**Apporter**, to come **with an object**: *Il nous a apporté du vin.*
**Emporter**, to go **with an object**: *N'oublie pas d'emporter ta serviette.*
**Amener**, to come **with a person**: *Amène les enfants quand tu viens.*
**Emmener**, to go **with a person** : *Si tu vas au parc, amène les enfants avec toi.*

**Mener/amener** (=to guide, to lead, to drive) : *Le vacher **a mené** son cheval à l'écurie. / Il a **amené** la moto au garage.*

**Amener** may replace **apporter**, but not when it's about an objec to offer:

*Il nous **a amené** du vin. / Je t'**ai apporté** un cadeau.* ~~Je t'ai amené un cadeau.~~

**Aller chercher/passer prendre ≠ accompagner/déposer/amener**

If you are home: *Vous voulez que **je passe vous prendre** ? / Voulez-vous que **j'aille vous chercher** ?*

If you are elsewhere: *Vous voulez que je vous **dépose** ? / Voulez-vous que je vous **accompagne** ? / Vous voulez que je vous **amène** ?*

### Exercises

**A. Complete with; aller, venir, revenir, arriver, retourner, use elisions when necessary**

1. Tu es **arrivée** vite ! Tu **es venue** en voiture ?
2. (on the phone) Allô, tu viens ? – Oui, … … … … … … …
3. Mon mari est occupé : pouvez-vous … … … … … … … plus tard ?
4. J'ai oublié acheter le fromage. Je dois … … … … … … … au magasin.
5. Je … … … … … … … et j'ai vu que quelqu'un me suivait.
6. Il est … … … … … … … à la maison sain et sauf.
7. Tu as acheté un nouveau manteau ? – Non, je l'ai … … … … … … …

**B. Choose the right option**

1. Je vais aller faire des courses : tu viens/~~vas~~ avec moi ?
2. Il est arrivé/venu depuis lundi.
3. Je dois aller mais je retourne/je reviens !
4. Si vous sortez, emportez/emmenez le chien.
5. Elle est partie sans emporter/emmener sa sacoche.
6. Le vent s'est retourné/a retourné le parapluie.
7. Le train arrive/vient dans 2 minutes.

**C. Complete the text**

Ma chère, aujourd'hui les transports sont en grève à Paris. Je ne peux pas venir ni … … train, ni … … bus, ni … … métro, ni … … bateau, ni … … avion. Mais je trouverai un moyen de te rejoindre : j'irai … … rollers, … … vélo, … … moto, … … pied, … … cheval, … … trottinette, … … dos d'âne ou … … scooter. Attends-moi, j'arrive !

# PART TWO, Day 15 - Place: joindre, rejoindre, partir, retrouver

**Joindre**, to contact by email or telephone: *Vous pouvez me joindre à tout moment au 06.95.09.98.44.*

**Rejoindre**, to meet in person: *Rejoignez moi au coin de la rue.*

**Rencontrer**, to meet for the first time: *J'ai rencontré mon mari quand j'avais 22 ans.*

**Retrouver**, to be reunited with: *Je trouve mes amis pour une petite soirée.*


**Partir/s'en aller**, to leave/go away from (the place where you are at the moment): *Il est 23 heures et demain je trainaille tôt. Je pars ! Je m'en vais !* (chez moi pour me coucher)

**Partir de** (=to leave from), **partir à/pour** (=to leave for): *Il part de Londres. Il part à/pour Paris.*

If the place of a departure is mentioned: *Il part pour Paris de Londres.* Not ~~Il part à Paris de Londres.~~

*Il part à/pour Paris. / Il part pour Paris de Londres.*

Other verbs in usage:

- Se rendre à (=to go/come to a place yourself, as in *Rendez-vous à...*) : *Je dois me rendre à cette adresse pour voir un ami.*

- Se mettre en route pour (=to set out for a place): *Je me mets en route pour la Provence.*

- Quitter (=to leave a place) : *Je descends du métro et je quitte la station.*

- Gagner/regagner (=to take place/go to/return to) : *Gagner la porte / J'étais si troublé que je n'ai pas eu le temps de gagner un fauteuil. / regagner la sortie*

- Descendre dans/à (=to sleep at a hotel) : *J'étais trop fatigué. J'ai descendu dans un hôtel près de la gare. / J'ai descendu à l'hôtel Costes. / descendre dans un hôtel* not ~~descendre dans l'hôtel Costes~~

- Filer (=to run) : *Allez, file !*

- Se sauver (=to leave) : *Sauve-toi vite, tu vas être en retard.*

Slang verbs to leave a place: *ficher le camp, prendre la poudre d'escampette, filer en douce/filer à l'anglaise, se faire la belle*

Verbs without a destination in mind
**Voyager** (=to travel) : *Je **voyage** beaucoup.*
**Marcher** (=to walk) : *J'aime **marcher** quand c'est calme.*
**Conduire** (=to drive/lead) : *Il **se conduit** dans la vie avec une certaine loyauté. / J'adore **conduire** avec de la musique.*
When the destination and the means of the transport are clear, use the verb *aller*:
*Je **vais** à Paris **en** train. ~~J'ai volé à Paris.~~ / ~~J'ai voyagé à Paris.~~*
*Je **suis allé au** parc **à** pied. ~~J'ai marché au parc.~~*
*On **est allé** à la compagne **en** voiture. ~~On a conduit à la compagne.~~*

**Bouger** (=move parts of the body) : *Ne **bougez** pas !*
**Se déplace** (=to move forward/to progress) : *Avoir de la difficulté à **se déplacer***

**Exercises**
**A. Complete by using "joindre" or "rejoindre"**
*Je ne peux pas lui / car j'ai perdu mon portatif. – Je ne peux pas lui **joindre** car j'ai perdu mon portatif.*
1. Vous pouvez me / à cette adresse mail.
..................................................................................................
.........
2. Je chercher à / l'autoroute A14.
..................................................................................................
.........
3. Je cherche à / Jérôme : tu as son numéro de téléphone ?
..................................................................................................
.........
4. Je vais / mon époux pour le déjeuner.
..................................................................................................
.........
**B. Complete by using "rencontrer" or "retrouver"**
*Je vais … un monsieur que j'ai … hier. – Je vais **retrouver** un monsieur que j'ai **rencontré** hier.*
1. Cette année j'ai … … … … … … … les amis que j'avais … … … … … … …
deux ans plus tôt.

2. Tu sais où pourrons-nous … … … … … … … mos amis ? – Oui ! Nous les … … … … … … … au restaurant Boutary, dans le 6ᵉ.

3. Le week-end dernier j'ai … … … … … … … des gens sympathiques.

4. Le matin, de 9h00 à midi, vous pouvez me … … … … … … … à ce numéro.

**C. Use one of these verbs to fill in the gaps:**

regagner / partir / quitter / conduire / descendre / emporter / ~~marcher~~ / aller / s'en aller / filer en douce

1. Je **marche** tous les soirs, au bord de la plage.

2. Si tu … … … … … … … par mauvais temps, pense à … … … … … … … un parapluie.

3. Prévenez-moi avant que vous … … … … … … le lieu.

4. Je n'aime pas trop … … … … … … … à Paris.

5. Je vais … … … … … … … à Paris en train.

6. Après la pause, tout le monde est prié de … … … … … … … leur place.

7. À Londres, dans quel hôtel es-tu … … … … … … … ? – J'ai … … … … … … … à l'hôtel Sheraton.

8. Marcel a … … … … … … … pour ne pas payer sa part.

9. Les grévistes ont refusé de … … … … … … …

# PART TWO, Day 16 - Place: En France, au Japon, à Londres

**Cities** – in general cities have no article.
*Londres New York Paris Tokyo* Except for: *Le Havre, le Caire, le Cap Paris est belle. / Tokyo est la capitale du Japon.* But use article when precise: *Le Tokyo d'autrefois.*
City names ending with an "e" are considered as feminine: *Rome est belle.*
**Country and continent names** use articles.
*L'Europe, L'Asie, le Brésil, v France, l'Allemagne* But no article when a city name is used for country or contentinent: *Singapour, Dubaï, Mexique, Andorre, Bahreïn, Israël, Oman, Monaco, Hong Kong, Djibouti, Gibraltar, Haïti*
Country names ending with an "e" are feminine: *La France, la Chine, la Suède, la Colombie...*
Other names are masculine: *le Maroc, le Pérou, le Brésil, le Danemark, le Canada...*
Some exceptions: *le Zaïre, le Mozambique, le Mexique, le Cambodge, le Belize*
**For islands**, the choice of an article is arbitrary.
Most non-European names use no article; *Cuba, Madagascar, Chypre, Hawaï, Bornéo, Bahreïn, Terre-Neuve, Sri Lanka* (or *Le Sri Lanka*) But islands in the French territory (outside Europe) use an article: *la Guadeloupe, la Martinique*
Most of European names use an article; *la Sicile, la Corse, la Crète, l'Irlande* with the exceptions of *Malte, Chypre,* and the same name used for a city and the island: *Ponza, Rhodes, Majorque*
All plural island names use articles: *les Comores, les Canaries, les Baléares*

**À, En, Au(x)** to indicate countries, cities or continents
**À** is used before names without article: *à Tokyo, à Paris, à Dubaï, à Singapour, à Cuba, à Chypre*
**En** is used for feminine country names: *en Suède, en Colombie, en*

*France, **en** Chine*

**Au** is used for masculine country names: ***au** Danemark, **au** Canada, **au** Maroc, **au** Pérou*

**Aux** is used for plural names: ***aux** Canaries, **aux** Daléares, **aux** Comores*

To mention the origine of something or somebody, use **du** (le Japon) and **de** (la Chine):

*Le café **du** Brésil*

*Le thé **de** Chine* ~~le thé de la Chine~~

**Au** becomes **en** before a̲, e̲, i̲, o̲, u̲, and aspirated h̲: ***en** Irak, **en** Hongrie*

*!*

- a preceding letter depends on the letter **h** when it's aspirated, **without** liaison: *le héro (lə ero), la hauteur, les halles (lɛ al), les héros (lɛ ero)*

- a preceding letter jumps the letter **h** when it's not aspirated, **with** liaison: *l'hôpital, l'heure, les horloges (lɛzorlɔʒ)*

## Exercises

### A. Fill in the gaps

Des gens comprennent et parlent le français **en** France, ... Belgique, ... Suisse, ... Québec, ... Luxembourg, ... Monaco, ... Sénégal, ... Niger, ... Gabon, ... Mali, ... Haïti, ... Guyane, ... Martinique, ... Côte d'Ivoire, ... Bénin, ... Saint-Pierre-et-Miquelon, ... Seychelles, ... Burkina Faso, ... Burundi, ... Cameroun, ... Vanuatu, ... Rwanda, ... Centrafrique, ... Djibouti, ... Monaco, ... Mauritanie, ... Nouvelle-Calédonie, ... Liban, ... Tchad, ... Togo, ... Saint-Martin, ... Guadeloupe, ... Réunion, ... Mayotte, ... Madagascar, ... Comores...

### B. Follow the given example

Brésil/real – *Au Brésil, on paie en real.*

1. Colombie/peso ... ... ... ... ... ... ... ... ... ... ... ... ... ... ... ... ... ... ...
... ...

2. Cambodge/riel ... ... ... ... ... ... ... ... ... ... ... ... ... ... ... ... ... ... ... ...
...

3. Québec/piastre ... ... ... ... ... ... ... ... ... ... ... ... ... ... ... ... ... ... ...
... ...

4. France/euro ... ... ... ... ... ... ... ... ... ... ... ... ... ... ... ... ... ... ... ...

.... 5. États-Unis/dollar ... ... ... ... ... ... ... ... ... ... ... ... ... ... ... ...
... ... ...

6. Pérou/sol ... ... ... ... ... ... ... ... ... ... ... ... ... ... ... ... ... ... ... ... ...
... ..

7. Inde/roupie ... ... ... ... ... ... ... ... ... ... ... ... ... ... ... ... ... ... ... ...
... ..

8. Thaïlande/baht ... ... ... ... ... ... ... ... ... ... ... ... ... ... ... ... ... ... ...
... ...

**C. Follow the given example**

français/France – La loi est écrite **en** français **en** France.

1. grec/Grèce ... ... ... ... ... ... ... ... ... ... ... ... ... ... ... ... ... ... ... ...
... ...

2. russe/Russie ... ... ... ... ... ... ... ... ... ... ... ... ... ... ... ... ... ... ...
... ...

3. anglais/Angleterre ... ... ... ... ... ... ... ... ... ... ... ... ... ... ... ... ...
...

4. espagnol/Espagne ... ... ... ... ... ... ... ... ... ... ... ... ... ... ... ... ...
...

5. japonais/Japon ... ... ... ... ... ... ... ... ... ... ... ... ... ... ... ... ... ...
... ...

6. italien/ Italie ... ... ... ... ... ... ... ... ... ... ... ... ... ... ... ... ... ...
... ...

7. portugais/Portugal ... ... ... ... ... ... ... ... ... ... ... ... ... ... ... ... ...
...

8. allemand/Allemagne ... ... ... ... ... ... ... ... ... ... ... ... ... ... ... ...
...

# PART TWO, Day 17 - Place: Au Colorado, en Andalousie, dans le Vaucluse

**States, departments, regions, provinces**

**En** + feminine name *en Andalousie, en Bretagne, en Bavière*

**Dans le** + masculine name *dans le Jura, dans le Finistère, dans le Pas-de-Calais*

**Dans les** + plural name *dans les Bouches-du-Rhône, dans les Alpes-Maritimes, dans les Pyrénées-Atlantiques*

To show origins, use:

**du** + masculine name *venir du Jura, venir du Finistère*

**de** + feminine name *venir de Bretagne : venir de Bavière* Before a vowel, *Andalousie,* for example, an article can be used *venir de l'Andalousie* or *venir d'Andalousie, venir de l'Inde* or *venir d'Inde* Always use an article when it sounds wrong without it *venir de l'Aude* ~~venir d'Aude~~

**Dans la** is used before feminine departmental names *dans la Côte-d'Or, dans la Saône-et-Loire*

Few names ending with an "e" are masculine: *dans le Finistère, dans le Vaucluse, dans le Maine*

Some masculine names have two possibilities: *dans le Colorado* or *au Colorado, dans le Texas* or *au Texas*

Canadian provincial names are used with the same rules as country names: *au Québec* ~~dans le Québec~~, *au Yukon, au Manitoba, en Ontario, en Alberta, en Saskatchewan*

For French overseas departmental names: *en* or *à la Guadeloupe, en Guyane, en* or *à la Martinique, à la Réunion* (because islands in the French territory use articles)

Vivre dans le **Nord**, capital "N" when it refers to a region, *le Nord* (=the French region), small "n" when it refers to cardinal points *Le Nord est situé au/dans le nord de la France. / La ville de Marseille est située au/dans le sud de la France.*

-*Je vais au Québec.* (you are going to Québec the province)

-*Je vais à Québec.* (you are going to Québec the city)

The same rule applies to:

-*Je vais en Avignon.* (=territory)

-*Je vais à Avignon.* (=city)


**Exercises**

**A. J'habite à... (complete with au, à, à la, en, dans le)**

1. J'habite **au** Yukon.

2. J'habite … … … … Finistère.

3. J'habite … … … … Andalousie.

4. J'habite … … … … Pyrénées-Atlantiques.

5. J'habite … … … … Colorado.

6. J'habite … … … … Réunion.

7. J'habite … … … … Québec.

8. Je voyage beaucoup … … … … Québec.

**B. Follow the given example**

*Le vinho verde vient du Portugal.*

1. Le camembert vient … … … … Normandie.

2. Le parmesan vient … … … … Italie.

3. Les sushis viennent … … … … Japon.

**C. Use your own situation with à/en/au/dans le/dans la/dans les/de/du/de l' + name**

1. Je viens … … … … … … … … … … … … … … … … … … …

2. Je suis né(e) … … … … … … … … … … … … … … … … …

3. J'habite … … … … … … … … … … … … … … … … … …

# - PART THREE -

## NOUN

# PART THREE, Day 18 - Noun: Une femme/un homme, la femme/l'homme

**Un, une** – indefinite articles
*Un oiseau vole / une fenêtre peut servir à s'enfuir*
**Le, la** – definite articles
*L'oiseau devant la fenêtre est en train de voler.*
*Un homme ouvre une fenêtre. Il voit un oiseau poursuit une mouche.*
*L'homme reste figé devant la fenêtre. La mouche disparaît vers le jardin. L'oiseau s'arrête la poursuite et s'envole vers le ciel.*
**le** jardin (=the garden near the window), **le** ciel (=the sky)
**Le / la**, used for something unique, famous or known by all
Unique things: *la planète terre, la lune, le soleil, le ciel*
Countries, languages, people, saisons: *La France, le Portugal, le français, le portugais, les Portugais, les Français, le printemps, l'été*
*Les Portugais parlent le portugais.*
Qualities, materials, colors: *la joie, la chaleur, le pain, le sucre, le rouge, le violet*
*La rouge est la couleur de la chaleur.*
**Un, une, le, la**, used as general ideas: *Un oiseau vole.* or *L'oiseau vole.*
(=all birds) *Un homme marche.* or *L'homme marche.* (=all humans)
*La mouche/une mouche vole. / L'alligator/un alligator rampe*
The general idea in plural: *Les oiseaux volent.* ~~Des oiseaux volent.~~

General ideas expressed with subtle differences:
*Un oiseau vole.* (=all the living birds)
*L'oiseau vole.* (=an idea)
*Les oiseaux volent.* (=generalization)

**Exercises**
A. Use **une, un, le, la, les, l'** to fill in the gaps
1. Il a écrit **un** livre, ... bon livre, ... livre sur ... fourmis, ... livre qu'il écrivait depuis l'an dernier, ... livre numérique, vendu sur ... marché connu.
2. Elle a inventé ... poison, ... poison très efficace, ... poison pour tuer ... moustiques, ... recherche sur laquelle elle travaillait janvier, ...

poison en phase d'essai, dans ... région au sud du pays.

3. Ma sœur a trouvé ... logement, ... logement très sympa, ... logement au coin de la rue de chez nos parents, ... logement idéal qu'elle cherchait, ... logement de deux pièces, ... logement de rêve, quoi !

4. Gisèle est partie pour ... voyage, ... très long voyage, ... voyage de plusieurs continents, ... voyage qu'elle rêvait depuis toujours, ... voyage avec sa copine de collège, ... voyage se termine en septembre prochain.

**B.** Use **le/la/les**

1. **Le/un** chien aboie.

2. ... homme vit 71 ans. (According to the WHO, the world average life expectancy in 2015 was 71.4.)

3. ... homme est plus intelligent que ... cheval.

4. ... lions mangent de la viande.

# PART THREE, Day 19 - Noun: les animaux, des animaux

*Il y des canards au lac, dont trois sont venus vers nous. / J'ai regardé les trois canards.*

**Des**, indefinite article plural

**Les**, definite article plural

*Des canards au lac* (=more than one, not sure exactly how many, indefinite)

*Les trois canards* (= exactly three, the three I can see, definite)

*Hier on a eu deux problèmes ; l'ordinateur ne fonctionnait pas et une fenêtre a été cassée. Aujourd'hui, on va résoudre **les** problèmes.*

*Chez nous, il y a toujours **des** problèmes.*

Compare:

*J'aime bien **les** Indiens.* (all Indians, in general)

*J'aime bien **des** Indiens.* (some Indians, not all)

*J'aime bien **des** fromages français.*

**Les** becomes **des** when **les** follows a verb+de construction (essayer de, accepter de, refuser de...): *J'ai pris trois pantalons dans une cabine d'essayage. J'ai **essayé des** trois pantalons.* (essayer de + les = essayer des ...)

*J'accepte **des** propositions qu'on m'a proposé hier.*

**Des** becomes **de** when **des** follows a verb+de construction (avoir peur de, dépendre de, avoir envie de, avoir besoin de... ): *Je mange **des** pommes tous les jours. J'ai **besoin de** pommes.* (besoin de + des = besoin de ...)

*J'ai peur **de** serpents.*

When talking about personal experiences, use **des**, not **les**:

*J'aime bien côtoyer **les** personnes qui parlent la langue que j'apprends.*

But,

*J'ai côtoyé que **des** Indiens quand j'ai vécu six mois en Inde. / En Inde, j'ai mangé que **des** légumes cuits.*

**Des** + **adjective** = **de**: *Nous contacterons **de grands** spécialistes sur le sujet. / De temps en temps il a eu **d'énormes** chocs.* (**d'** when the adjective starts with a vowel)

When the adjective is a part of a composed phrase; **grand-mères, petit déjeuner**..., **des** does not change: *des grand-mères / des petit déjeuners*

**Des** remains unchanged if it's already contracted: *J'ai **essayé des** trois nouveaux pantalons.* (essayer de + les = **des**)

**Un autre** (=another one), **d'autres** (=another ones) ~~des autres~~

*J'aimerais avoir **d'autres** choix. / **D'autres** clients m'attendent dehors.*

**Des autres** ( = **de** + **les** autres) when the article is definite: *toutes ces choses-là sur le canapé, sauf le petit sac bleu, ce sont les affaires **des autres**.*

## Exercises

**A. Use des or les**

1. *Sur la colline devant nous, il y a **des** moutons.*
2. Ce sont ... moutons qui appartiennent à la famille qui vit au pied de la colline.
3. La vie présente toujours ... problèmes.
4. Aujourd'hui, ... problèmes d'hier ne sont plus là.
5. Je n'ai jamais rencontré un dauphin méchant. J'aime ... dauphins.
6. J'accepte ... nouvelles conditions de ma vie.
7. J'ai horreur ... gens impolis et arrogants.
8. Quand j'étais malade, j'ai mangé que ... fruits lavés de l'eau de bouteilles.
9. Tous les jours je mange ... légumes cuits.
10. On se pose beaucoup ... questions.

**B. Use des, les, d'autres, des autres**

1. *J'ai acheté **de** grosses mangues.*
2. Le samedi dernier nous sommes partis pour une virée dans les campagnes. J'ai vu ... jolies petites maisons.
3. Sur ce site, on trouve beaucoup ... petites annonces.
4. Je refuse ... invitations de tout le monde cette semaine.
5. J'ai cinq frères et sœurs : deux sont avec moi, ... sont partis en vacances.
6. Je n'aime pas lire ces deux livres. J'aimerais avoir ... choix.
7. Je n'ai pas ... choix.

# PART THREE, Day 20 - Noun: la couleur de la maison, une couleur de maison

*la couleur de la maison* (=concrete idea, definite, identified)
*une couleur de maison* (=general idea, indefinite, unidentified)

### De + noun with article, *de la, du*

*la couleur de la maison* (=his or her house)
*le nom du bar* (=the only café nearby)
*les vêtements des enfants* (=the children of this family)
Identify two definite ideas in point:
*la couleur* (=color of the house) *de la maison* (=his or her house)
*le nom* (=the name everyone in the area knows) *du bar* (=the only café nearby)
*les vêtements* (=the clothes of their children) *des enfants* (=the children of the family)
Both the first and the second nouns follow definite articles:
*La nouvelle couleur de la maison est décidée : elle sera sable.*

### De + noun without article, *de*

*une couleur de maison* (=idea general)
*des vêtements d'enfants* (=children's clothes in general)
*un livre d'étudiants*
*Des produits de beauté pour femmes sont beaucoup plus facile à trouver que des produits de beauté pour hommes.*
There is only one general idea:
*une couleur de maison* (=a color)
*des vêtements d'enfants* (= clothes)
*un livre d'étudiants* (=a book)
Only the first noun follows a definite or indefinite article:
*Le fromage de chèvre est plus rare à trouver.* (=all goat cheese)
*des matériaux de construction*
*un étui de gadget*
The first noun follows follows a definite article, le second follows an indefinite article:

*l'étui d'**un** portatif* (=all types of covers for a portable device)
**Le** *professeur d'**une** langue a besoin connaître le niveau de chacun de ses étudiants.* (=all language teachers)

## Exercises

### A. Complete with or without article

Raymond vit dans une maison **de** bois, dans un coin calme ...
village. Le jardin ... maison est petit, le portail ... cour n'a pas de
serrure. Les habitants ... village se connaissent par leurs prénoms.
Le seul café ... coin s'appelle Le Soleil. La fille ... patron ... café est
devenue la femme ... Raymond depuis l'an dernier.

### B. Complete by using; du, de, de la, de l', des + articles if necessary

1. **L'**amour d'**une** mère est très spéciale.
2. J'ai trouvé ... billets ... voyage dans ... gare : ce ne sont pas les vôtres ?
3. Il y a quelques moments, nous avons perdu ... billets ... TGV Paris-Marseille dans ... gare de Lyon. Vous les avez trouvés ?
4. J'ai trouvé sur leboncoin ... ordinateur ... bureau fonctionnel pour 50€.
5. En France, tous ... sites ... commerce en ligne doivent avoir ... adresse d'... lieu physique.
6. Où est l'adresse ... lieu sur ce site ? – Elle se trouve en bas ... page principale ... site.
7. Je cherche ... robe ... soirée pour ma femme. ... vendre ... boutique peut me dire où je peux en trouver une.

# PART THREE, Day 21 - Noun: la maison de la radio, le palais de justice

### Names of countries, regions, states, institutions
*Les régions de la France. / La capitale du Brésil.*

<u>Study</u>
To indicate where something belongs to, use articles:
*les régions de la France*
*le café du Brésil*
*l'histoire de l'Inde*
*les paysages de la Suisse*
*la capitale de l'Angleterre*
*le nord de la France* ~~le nord de France~~
*le sud du Brésil* ~~le sud de Brésil~~
Use articles with:
institutions: *la maison de la radio, le Palais des sports*
ministry: *le ministère de la santé*
events/demonstratioins: *les Journées du patrimoine, le Salon de l'auto*

There is no article with feminine nouns when:
To indicate where something comes from:
*le thé d'Inde, le café du Brésil,*
*le café de Colombie*
With titles: *la reine d'Angleterre, le duc d'Orléans,*
*le roi du Maroc, le roi de Suède*
In case of representations: *l'équipe de France, l'équipe du Brésil*
Also with: *le palais de justice, l'hôtel de ville* ~~not l'hôtel de la ville~~
Special case with "l'histoire": *l'histoire de France* but *l'histoire de l'Italie*

With quantity
No article with the general idea of measurement:
*l'indice de réussite, le taux de satisfaction, le mangue de sommeil,*

*l'excès **de** vitesse*
Use articles with the following terms:
*la plupart **de la** population, la plupart **du** temps*
*la moitié **de la** journée, la moitié **du** chemin*
*la majorité **de la** clientèle, la majorité **du** peuple*
*bien **de la** communauté, bien **du** public*
*10% **de la** surface, 15% **du** chiffre d'affaires*
*un tiers **de la** valeur, un tiers **du** marché*

Watch the noun-verb agreement with:
**la plupart** + plural verb: ***La plupart** de la population **prennent** le train.*
**la majorité** + singular verb: ***La majorité** des hollandais **fait** du vélo.*
**la majorité** + plural verb "être": ***La majorité** des hollandais **sont** blonds.*
**10% de la** population + singular verb: ***25%** de la population a assisté au événement.*
**10% des** habitants + plural verb: ***15%** des gens se sont dit pour l'accord.*
The supplements can be left out, but not when used with verb "être":
***La plupart** prennent le train.*
***La majorité** fait du vélo.*
***La majorité** des hollandais **sont** blonds.*

## Exercises
### A. Fill the gaps with; de l', de, des, du
1. Le cuir **du** Maroc.
2. La laine ... Australie.
3. La maison ... examen.
4. L'adresse ... Académie française.
5. Le premier ministre ... Angleterre.
6. Le ministère ... solidarités et de la Santé.
7. L'histoire ... Italie est très différente de l'histoire ... France.
8. L'an dernier j'ai assisté au salon ... agriculture.
9. Il est ancien membre ... équipe de France.
10. Où se trouve l'hôtel ... ville, s'il vous plaît ? - Il se trouve en face

du palais ... justice.

**B. Find the right words: de, de la, du de l', la majorité, etc + verb**

1. **10% de l'**économie personnelle **est** déjà fumé en l'air.

2. La sagesse ... Grèce antique.

3. Le manque ... sommeil affecte la productivité.

4. Le samedi dernier, j'ai passé la moitié ... journée au lit.

5. Ce n'est pas très loin, on a déjà fait la moitié ... chemin.

6. La majorité des Suisses ... allemand.

7. Plus de 72 % ... surface de la terre ... recouverte d'eau.

8. Environ 50% de la population mondiale ... femmes.

9. Londres est situé au sud-est ... Angleterre.

10. Le sud ... France est plus ensoleillé que le nord ... pays.

# PART THREE, Day 22 - Noun: le pain, du pain

**Use; le, la, les, (definite articles) to identify something as a whole:**

*la* fumée (the idea of smoke, smoke as a whole)

*le* pain (general idea), *Les Français aiment le pain.*

*les* lieux calmes (calm places anywhere, in general), *J'aime bien méditer dans les lieux calmes.*

*les* weed-ends, *Il y a moins d'activité pendant les week-ends.*


*partitive: a word or phrase that shows a part or quantity of something*


**Use partitive; du, de la, des, to identify** *a piece of a whole,* **indefinite***:*

*Je mange du pain le matin.*

*Il y a de la fumée dans la cuisine.*

*Je fais des promenades à la campagne pour le repos des week-ends.*


From general to the concrete:

*Le bruit me dérange. / Il y a trop du bruit dans cet endroit.*

*La musique me détend. / Il y a toujours de la musique chez moi.*

*Les hommes sont évolués depuis des milliers d'années, du nomadisme à la vie moderne. / Des hommes d'aujourd'hui travaillent beaucoup pour gagner beaucoup.*


Use partitive for variable quantities:

*Servez du sucre pour faire un gâteau.*

*Sécher le linge est plus rapide quand il y a du soleil.*

*Le froid d'hiver donne des frissons.*

*Avec modération, boire de la bière est bon pour la santé.*

*Il y a des taches de l'encre sur cette chemise.*

*J'entends du Chopin à la radio.*

*Un enfant peut apporter de la joie de de l'amour à un couple.*

*Permets-toi d'avoir du chagrin, mais sache que je suis auprès de toi.*

*Je cherche un distributeur. Je dois retirer de l'argent.*

**Compare:**

*J'aime **le** fromage.* (abstract)

*Je mange **du** fromage.* (concrete)

*J'ai mis **un** fromage dans l'assiette.* (a slice)

*Je remets **le** fromage au frigo.* (definite)

***le** pain, **du** pain, **un** pain...*

***le** steak, **du** steak, **un** steak...*


*Faite **des** progrès en faisant **des** exercices.* (indefinite article)

*Je regarde **des** vaches qui mangent **des** herbes.* (partitive)

**Exercises**

**A. Use; de, de la, de l', du, des, le, l'**

Le matin, je mange **du** pain. Je n'aime pas ... sucre, donc je ne prends pas ... sucre dans mon café. ... café, c'est un besoin, donc je prends ... café plusieurs fois par jour. En général je bois l'eau, 2 ou 3 litres par jour, mais aujourd'hui je n'ai pas bu assez ... eau. Le midi, je mange **du** steak, j'aime bien ... steak. De temps en temps, je vois ... gens mangent ... filet de Saint Pierre, avec ... câpres, ... persil, ... petits légumes croquants et ... pommes de terre, c'est très bon aussi. Parfois je mange le pad-thai, c'est ... nouilles avec ... poulet, et avec ... légumes et ... sauce sucrée. C'est délicieux.

**B. Use; de la, du, le, de l', des, un, and underline the phrase when it's partitive**

1. Quand j'ai **le** temps, j'écoute <u>**de la** musique</u>.

2. Hier j'ai écouté ... Mozart.

3. Est-ce que ... bruit vous dérange ? – Normalement, non, **le** bruit ne me dérange pas, mais quand j'ai envie de dormir tard le soir et j'entends ... bruit, oui, cela me dérange.

4. Quand il y aura ... soleil, j'ai ... linge à sécher.

5. Je dois retirer ... argent à la banque.

7. J'aime bien ... fromage. Je mange ... fromage tous les jours, après chaque repas, mais ... fromage me suffit la plupart ... temps. Et après je remets ... fromage au frigo.

# PART THREE, Day 23 - Noun: un paquet de café, pas de café

The use of "**de**" with quantity
How much of something (=combien **de** quelque chose), use **de** to answer:
- *Combien **de** sucre voulez-vous dans votre café ?*
- *Pas **de** sucre. / Un peu **de** sucre. / Beaucoup **de** sucre.*

| | | |
|---|---|---|
| un verre | | gateau |
| pas | | papier |
| beaucoup | | café |
| deux litres | | vin |
| trois paquets | **de** | sucre |
| un peu | | temps |
| 500 g | | plaisir |
| un morceau | | gens |
| un bout | | choses |

Use partative (=du, de la, des) when the question is **quoi**:
- *Vous mangez **quoi** le matin ?*
- *Je mange **du** pain et **de la** salade.*
- *Et pour boire ?*
- *Je prends **du** café, avec **du** sucre.*

Use **de** after **ne... pas, ne... plus, ne... guère, pas... ni**
*Il n'y a **pas de** sucre **ni de** crème dans votre café.*
*On n'a **plus de** lait dans le frigo.*
*Il n'y a **guère de** doute.*

Use a noun right after **ni... ni, sans... ni**

*Je prends **ni** sucre **ni** crème dans mon café.*

*C'est une histoire **sans** combat **ni** souffrance.*

Use **de** after **sans** + an infinitive verb

*Réussir **sans** faire **de** compromis*

*Passer la nuit entière **sans** trouver **de** sommeil*

*Je **ne** mange **pas de** viande.*

*Le tigre **ne** mange que **de la** viande.*

*... **pas de** (=zero quantity), **Ne** fais **pas de** compromis.*

*... **que de la/du/des** (=limitation, partitive), Il **ne** mange que **de la** viande.*

In spoken French, **que** can be both quantity and limitation:

***Que** des gens sympas !* (=limitation, only nice people here)

***Que** de bonheur !* (=quantity, so much happiness)

Use only partative (=du, de la, des) after:

- the verb **être** : *Ce n'**est pas du** luxe. / Ce n'**est pas de la** grande littérature.*

- the polite negative question: *Vous n'auriez **pas du** sucre, s'il vous plaît ?*

- **encore** : *Voulez-vous encore **du** fromage ?*

- Rien du tout/pas du tout : *Que veux-tu encore ? – Rien **du tout**. ~~Rien de tout.~~ Tu as encore faim ? – Pas **du tout** ! ~~Pas de tout !~~*

## Exercises
### A. Use; de, du, d'

1. Je voudrais un peu **de** sucre, s'il vous plaît !
2. Quoi ? – Oui, je mange ... pain avec ... fromage et ... nutella, c'est très bon !
3. Pas ... sucre dans mon café, s'il vous plaît.
4. (in a restaurant) Et pour boire ? – ... café, s'il vous plaît !
5. Il faut boire au moins deux litres ... eau par jour.
6. Une vie heureuse n'a pas **de** combat ni ... souffrance.
7. Avec 50€, on peut acheter beaucoup ... choses.
8. C'est le vent qui a porté la couverture. Il n'y a guère ... doute.

9. Une bouteille ... vin me suffit pour une semaine.

10. Si tu parles plusieurs langues, tu peux voyager partout sans rencontrer ... difficultés.

**B. Fill in the gaps with; de, du, des, de l'**

1. Le soir je ne bois pas **de** café. Je bois que **de l'**eau.

2. **Que** ... surprises !

3. Ce n'**est** pas ... vrai jazz.

4. N'auriez-vous pas ... feu, s'il vous plaît ?

5. Encore ... fromage ! – Non, pas ... tout ! C'est un gâteau.

6. Vous cherchez quelque chose ? – Rien ... tout ! Je regarde le paysage.

7. Que ... beauté ! Il n'y a pas ... pollution ni ... bruit. Il n'y a que ... bonheur ici !

# PART THREE, Day 24 - Noun: faire du foot, avoir la tuberculose, être mort de faim

Use **partitive** (**de la, du, des**) when we produce/create or do something with verbs; *faire, créer, produire, donner, jouer, etc*

Sports: faire + partitive (de, du, des) + all sports
*Je fais **du** vélo.*
*Il fait **du** foot.*
*Elle fait **de la** boxe.* (by herself)
With games or with a team sport, we normally say, **jouer à**.
Team: *On joue **aux** cartes. / Mes amis et moi jouons **au** foot. jouer **à** cache-cache, jouer **à l'**autruche, jouer **à la** belote, jouer **à la** pétanque...*
Games: *Je joue **au** scrabble. jouer **à la** bataille indienne, jouer **au** blason d'or...*
When play solo or a sport to fight against each other, only **faire de** (partitive)... is possible.
*Ils font **de la** boxe.* (against each other)

Music: faire/jouer + partitive (de, du, des) + all music instruments
*faire **de la** guitare* (=as a casual activity) *Je fais **de la** guitare.*
*jouer **de la** guitare* (=as a profession) *Eric Clapton joue **de la** guitare.*
*Eveline est enseignante au collège. Elle fait **du** piano le soir.*
*Frédéric Chopin jouait **du** piano.*

Activities around the house
*faire **la** cuisine, faire **le** lit, faire **les** comptes* (tasks with definite finish)
*faire **du** rangement, faire **de l'**ordre* (infinite tasks)
*faire **les/des** courses*
*faire **des** achats*
*Il fait **les** courses, il fait **la** cuisine, mais il n'est pas doué pour faire **le** lit.*

With **avoir + article**, the articles are variable depending on situations

With body reactions (partitive): *avoir **de l'**asthme, **des** allergies, **de la** fièvre*

With inflamed organs (indefinite article): *avoir **un** rhume, **une** otite, **un** ulcère, **une** pharyngite*

With serious illnesses or epidemic (definite article): *avoir **le** sida, **la** tuberculose, **le** cancer, **la** grippe*

With physical or moral characters (partitive): *avoir **de la** classe, **du** courage, **du** charme, **de la** constance, **de l'**allure*

With sensations of pain, hunger, sleep, etc, or lack of them (no article): *avoir froid, sommeil, faim, peur, mal*

With modified constructions, an indefinite article can be used: *avoir **un** mal de chien, **une** faim de loup, **un** sommeil agité, **une** peur bleue, **un** froid polaire*

We say:

Avoir **le** temps **de** : *J'ai le temps **de** faire la lecture.*

Ne pas avoir **le** temps : *Je n'ai pas **le** temps.*

Avoir **du** temps **pour**: *Il faut **du** temps **pour** concevoir et penser des choses.*

With the phrasal construction of a*voir envie **de**, manquer **de**, avoir besoin **de**,* the partitives (de, du, des) contract with the phrases:

*avoir envie **de** + **du** soleil/**des** vacances = avoir envie **de** soleil/vacances*

de + du / de + de l' / de + des = de

*Je manque **d'**argent.*

*Tu as besoin **de** vacances.*

The verb **être**... + **de** :

*Je suis mort **de** faim.*

*Il est toujours fou **d'**elle. / Il est fou **de** rage.*

*Nous sommes vert **de** peur/rouge **de** honte.*

*L'enfant est plein **d'**énergie.*

*Je suis choqué **du** nombre de réactions.*

## Exercises
## A. Faire de (partitive), or jouer à (au, aux)

1. Je **fais du** monocycle.

2. Il … … … … … … basket.

3. Elle … … … … … … surf.

4. Je fais … … … … … … billard.

5. Nous … … … … … … billard.

6. Il est champion olympique : il … … … … … … boxe.

7. Nous … … … … … … course.

8. Mes potes et moi, on … … … … … … foot.

9. Mes grand-parents et leurs amis … … … … … … cartes.

10. Moi tout seul, je ne peux pas … … … … … … cache-cache, mais, …
… … … … … … cartes, si.

**B. Faire de/jouer de (partitive), use negative when necessary**

1. Depuis 5 ans que je suis des cours de piano : je **joue du** piano.

2. Éric a acheté une guitare il y a deux semaines. Il … … … … … …
guitare trois heures par jour depuis.

3. Eric Clapton ne … … … … … … pas de la guitare, il … … … … … … de
la guitare.

4. Ma petite sœur, qui a neuf ans, … … … … … … violon très bien.

**C. Use these words/phrases to fill the gaps: un / le temps de / un
/ des achats / un / du / du temps pour / un**

1. Je peux **faire la** cuisine.

2. Ma carte bancaire, elle est bloquée. Je ne peux pas faire … … … … …
… pour le moment.

3. Elle a … … … courage : avoir … … … … … … rhume ne fait rien pour
elle.

4. J'ai eu … .. .. sommeil agité, and maintenant j'ai … . mal de chien au
dos.

5. J'ai … … … regarder la télévision mais je n'ai pas … … … faire la
lecture.

# PART THREE, Day 25 - Noun: the genre; la montagne, le paysage

**The genre in general:**
**The masculine**
**-age** endings: le ménage, le montage, le bavardage, le garage, le tournage, l'assemblage, le dallage, le commérage, le tripotage, le badinage, le marivaudage, le feuillage, le ramage... etc
*Le bavardage divague de sujet principal.*
*the exceptions are*: la page, l'image, la plage, la cage, la nage
**-ment** endings: le financement, l'arrosement, le barrement, le monument, le gouvernement...
**-eau** endings: le bandeau, le barreau, l'écriteau, le pruneau, le corbeau, le carreau, le couteau, le bureau... etc
*With the exception of:* la peau, l'eau
**-aire** endings: le millénaire, le fonctionnaire, le commentaire, le destinataire, le disquaire, le parlementaire, le glossaire, le sanctuaire, le salaire ... etc
*Except*: la grammaire, l'affaire
**-o, -é, -u, -i, -a** endings: le panorama, le revenu, le pyjama, le métro, le suivi... etc
*Except*: la photo(graphie), la météo(rologie)
**-scope, -phone** endings: le baroscope, l'électroscope, le gyroscope, le caméscope, le téléphone, le bigophone, le saxophone, le microphone... etc
**-al, -ail, -euil** endings: le gouvernail, le bétail, le métal, le réveil, le travail, le cheval, le fauteuil... etc
**The feminine**
**-té** endins: la beauté, la bonté, la réalité, la société, la quantité... etc
*Except:* le comité, le côté, le pâté, l'été, le décolleté
**-tion, -sion** endings: la majoration, la finition, la nation, la situation, la solution, la décision, la dimension, la massion... etc
**-ance, -ence** endings: la présence, la connaissance, la naissance, la pitance, la vengeance, la résistance... etc
*Except:* le silence

**-ette, -esse** endings: la gentillesse, la politesse, la paresse, la dette, la bicyclette... etc
*Except:* le squelette
**-ure** endings: la culture, la nourriture, la peinture... etc
*Except:* le parjure, le murmure *and with chemicals*: le chlorure, le carbure, le bromure, le cyanure... etc
**-eur** endings: la valeur, la couleur, la fleur, l'erreur, la saveur, l'horreur, l'odeur, la chaleur, la douceur, la peur, la douleur
*Except*: le malheur, le bonheur
**-ode, -ade, -ude** endings: la cathode, la méthode, la certitude, la salade... etc
*Except*: le jade, le stade, le grade, le prélude, l'interlude
**-aille** endins: la marmaille, la valetaille, la maille, la bataille, la faille... etc

**Special cases:**
Frequently used endings in masculine
*un groupe, un axe, un chapitre, un contraste, un contexte, un domaine, un exemple, un problème, un mélange, un nombre, un phénomène, un modèle, un musée, un rôle, un système, un rêve, un siècle, un programme, un symbole, un texte, un volume*
Words both masculine and feminine
*le poste, **la** poste - obtenir **un** poste à **la** poste.*
*le tour, **la** tour – faire **un** tour autour de **la** tour Eiffel*
*le mode, **la** mode – **Ce** mode d'emploi n'est plus à **la** mode.*
*le voile, **la** voile – **La** voile du bateau et **le** voile de religieuse ne sont pas fait de la même fabrique.*
*le manche, **la** manche – tenir une casserole par **le** manche, **la** manche d'une chemise*
*le livre, **la** livre – À Londres, on peut payer en livres pour acheter des livres.*
Other words close in spelling, sound the same (*la cour, le court, un cours / la foi, la fois, le foie*)
*la cour* (the yard of a building), *le court* (of tennis), *le cours* (**un** cours de franças)
*la foi* (belief), *la fois* (Une fois, deux fois, mais trois fois ? Cela suffit !), *le foie* (manger du foie)

**Exercises**
**A. Follow the given example**
comité / société / tournage – *un nouveau comité, une nouvelle*
*société, un nouveau tournage*
1. image / silence / commentaire
… … … … … … … … … … … … … … … … … … … … … … … … … … … … … … …
…
2. bureau / solution / pyjama
… … … … … … … … … … … … … … … … … … … … … … … … … … … … … … …
…
3. peau / caméscope / saveur
… … … … … … … … … … … … … … … … … … … … … … … … … … … … … … …
…
4. gyroscope / peinture / méthode
… … … … … … … … … … … … … … … … … … … … … … … … … … … … … … …
…
5. travail / bicyclette / chaleur
… … … … … … … … … … … … … … … … … … … … … … … … … … … … … … …
…

**B. Use these words/phrases; un, une, ce/cette, au/à la, le, la, to**
**fill in the gaps**
1. Aujourd'hui c'est très facile à obtenir … … poste … … poste.
2. On a eu … … cours de français dans … … cour.
3. Je mange … … foie … … fois par an, c'est trop gras pour moi.
4. C'est de quel tissu … … voile que tu portes ?
5. … … manche n'est pas fait pour tenir … … manche.

## PART THREE, Day 26 - Noun: construire > la construction, fidèle > la fidélité

**La nominalisation** (=formation of nouns)
*From verbs*
regular endings
-**ment**, le divertissement (*from* divertir), le développement (développer), le changement (changer), l'accroissement (s'accroître), l'effondrement (s'effondrer), le licenciement (licencier), l'acquittement (acquitter)
-**age**, le sauvetage (sauver), le voyage (voyager), le passage (passer), le tournage (tourner)
-**action**, la libération (libérer), la manifestation (manifester), la condamnation (condamner), l'installation (installer), l'évacuation (évacuer), l'arrestation (arrêter)
-**uction**, la réduction réduire), la construction (construire), la destruction (détruire)
-**ure**, la lecture (lire), la rupture (rompre), la signature (signer), la fermeture (fermer), la blessure (blesser), l'ouverture (ouvrir)
-**tion**, la distinction (distinguer), la satisfaction (satisfaire), la transformation (transformer), la distraction (distraire) la protection (protéger), la disparition (disparaître), la sélection (sélectionner), la reddition (*exception* se rendre), l'utilisation (utiliser), l'élection (élire), l'opposition (opposer), la démolition (démolir)
-**sion**, la suppression (supprimer), la collision (*exception* percuter), l'explosion (exploser)
irregular endings
le prêt (prêter), la mort (mourir), le retour (retourner, revenir), le départ (partir), la découverte (découvrir, trouver), le retrait (retirer), la baisse (baisser), la diminution (diminuer), l'augmentation, la hausse (augmenter), l'accroissement, la croissance (accroître), le vote (voter), la naissance (naître), l'arrivée (arriver), l'assassinat (assassiner), le meurtre, le crime (*exception* tuer), la victoire (*exception* vaincre), la sortie (sortir), l'accueil

(accueillir)

*From adjectives*
regular endings
-**ance**, la tolérance (*from* tolérant), l'élégance (élégant)
-**ence**, la violence (violent), la présence (présent), l'intelligence
(intelligent), l'absence (absent)
-**té**, la sincérité (sincère), la fidélité (fidèle), la bonté (bon), la beauté
(beau), la méchanceté (méchant), la facilité (facile), la générosité
(généreux), la gaieté (gai), la curiosité (curieux), l'honnêteté
(honnête), l'efficacité (efficace), la rapidité (rapide), la
responsabilité (responsable), la sobriété (sobre), la ponctualité
(ponctuel), la sensualité (sensuel)
-**ude**, la solitude (seul), la certitude (certain), l'incertitude
(incertain)
-**esse**, la richesse (riche), la tendresse (tendre), la politesse (poli), la
gentillesse (gentil), la paresse (paresseux), l'adresse (adroit)
-**ise**, la gourmandise (gourmand), la franchise (franc), la bêtise
(bête)
irregular endings
le sérieux (sérieux), le calme (calme), le courage (courageux), la
chaleur (chaud), la trahison (traître), le respect (respectueux), la
discrétion (discret), la précision (précis), la douceur (doux),
l'amabilité (aimable), drôlerie (drôle), l'amusement (amusant)

**Exercises**
**Turn underlined parts into nouns, follow the given example**
*On a libéré le suspect ce matin. – La libération a eu lieu ce matin.*
1. On a licencié un bon travailleur sous prétexte qu'il était absent
pendant 3 jours, qui a provoqué la colère des employés.

………………………………………………………………………………………
………………………………………………………………………………………
………

2. Le licencié a retourné au travail ce matin, qui a calmé un peu les
employés.

………………………………………………………………………………………
………………………………………………………………………………………
………

3. protéger les mineurs

… … … … … … … … … … … … … … … … … … … … … … … … … … … … … … … … … … … …
… … … … … … … … … … … … … … … … … … … … … … … … … … … … … … … … … … … …
… … …

4. C'est utile d'être curieux.

… … … … … … … … … … … … … … … … … … … … … … … … … … … … … … … … … … … …
… … … … … … … … … … … … … … … … … … … … … … … … … … … … … … … … … … … …
… … …

5. On a ouvert un nouveau centre de loisirs, qui a attiré beaucoup des jeunes de la ville.

… … … … … … … … … … … … … … … … … … … … … … … … … … … … … … … … … … … …
… … … … … … … … … … … … … … … … … … … … … … … … … … … … … … … … … … … …
… … …

6. Deux centres commerciaux sont fermés, les marchés sont perturbés.

… … … … … … … … … … … … … … … … … … … … … … … … … … … … … … … … … … … …
… … … … … … … … … … … … … … … … … … … … … … … … … … … … … … … … … … … …
… … …

7. D'être discret est une vertu.

… … … … … … … … … … … … … … … … … … … … … … … … … … … … … … … … … … … …
… … … … … … … … … … … … … … … … … … … … … … … … … … … … … … … … … … … …
… … …

8. Le climat augmente, qui est réel.

… … … … … … … … … … … … … … … … … … … … … … … … … … … … … … … … … … … …
… … … … … … … … … … … … … … … … … … … … … … … … … … … … … … … … … … … …
… … …

9. D'être honnête est nécessaire.

… … … … … … … … … … … … … … … … … … … … … … … … … … … … … … … … … … … …
… … … … … … … … … … … … … … … … … … … … … … … … … … … … … … … … … … … …
… … …

10. C'est impossible à distinguer.

… … … … … … … … … … … … … … … … … … … … … … … … … … … … … … … … … … … …
… … … … … … … … … … … … … … … … … … … … … … … … … … … … … … … … … … … …
… … …

# PART THREE, Day 27 - Noun: le nez, son nez, un nez

When talking about *parts of the body*:
We use the definite articles; *le, les*, when the possessor of the parts is mentioned.
*Il a mal à la jambe.*
*Il tourne les talons.*
*Elle lève les yeux.*
*Elle a mal à la gorge.*
*Il marche la tête levée.*
*Elle a mal à la tête.* ~~Elle a mal à sa tête.~~ *Sa tête est inclinée* (no mention of the possessor).
When the possessor is shown by reflexive verbs
*Il lui caresse les cheveux.*
*Elle s'est cassé la cheville.*
*Je me suis fait rasé la barbe.*
*Ils se sont donné la main.*
When the possessor is indicated by means of clothing.
*Elle a la jupe qui révèle le sous-vêtement.*
*Il porte les lunettes de soleil même la nuit.*

The possessive (*sa, son, ses*) is used when the object is described more precisely:
*Elle ferme les yeux.* > *Elle ferme ses yeux <u>pleins de larmes</u>.*
*Il cache ses cheveux <u>mal coupés</u> sous le capot.*
*Elle a ouvert ses lèvres <u>tremblantes</u>.*

When it comes to describe shapes, appearances, colors, both definite (le, la, les) and indefinite (un, une, des) are possible:
*Il a des cheveux longs. / Il a les cheveux longs.*
*Il a les yeux verts. / Il a des yeux verts.*
When the description is subjective, *des yeux magnifiques*, and with imagined names, only the indefinite article is possible:
*Il a des yeux magnifiques.*

*Il a **une** tête bien faite.* ~~Il a la tête bien faite.~~
*Elle a **un** nez excitant.*
*Il est réduit comme **une** peau **de** chagrin.*
*Elle a **une** beauté **de** fée.*
*Il a **des** yeux **de** feu.*

We use the indefinite articles when an adjective comes before the noun or when there are two adfectives:
*Il a **de** beaux cheveux.* (des+adjective=de)
*Tu as **de** beaux yeux.*
*L'animal a **une** petite tête mais **un** gros corps.*
*Il a **de** yeux clairs gonflés.*
*Elle a **un** nez fin poivré.*

### Exercises
### A. Pick your choice among ; le, la, les, sa, son, ses
1. J'ai **les** cheveux longs.
2. Elle a mal à … … … tête.
3. Les jumelles ont … … … même visage.
4. … … … tête est sauvée.
5. … … … nez est congestionné.
6. Elle me touche … … … bras.
7. Je me suis fait couper … … … cheveux.
8. Il mit … … … chaussures et quitta … maison.

### B. Pick your choice among ; les, le, son, ses, des, de
1. Il ferma **ses** yeux <u>fatigués</u>.
2. Elle ferme … … … lèvres tremblantes.
3. Il cache … … … visage rouge de honte.
4. Elle a … … … lèvres rouges séduisantes.

### C. Use ; le, la, les, or des
*Il a **un/le** nez pointu, mais elle a **un/le** nez fin.*
2. Il a … … … cheveux courts, mais elle a … cheveux longs.
3. Elle a … … … yeux rouges.
4. Il a … … … bras longs.

### D. Which sentence is correct ?
1. Elle a **le** visage séduisant. / Elle a **un** visage séduisant.
2. Il a **l'**apparence physique spéciale. / Il a **une** apparence physique

spéciale.

3. Il a **le** regard qui suggère quelque chose de beau. / Il a **un** regard qui suggère quelque chose de beau.

# PART THREE, Day 28 - Noun: un bon professeur, un vélo rouge

**The order of adjectives**

The adjectives that go *after* the noun ; adjectives of form, nationality, category

*une table **basse***

*une voiture **allemande***

*un vin **français***

*une carte **touristique***

*un visage **ovale***

When there are more than one adjective, the large in category precedes the others:

*une **table basse** rouge*

*un **vin français** bordelais*

*une **voiture électrique** verte*

The past participles are placed after other adjectives:

*une table basse **cassée***

*des cheveux blancs **bouclés***

*une chemise blanche **lavée***


The adjectives that go *before* the noun ; adjectives of size, appearance, nature

*une **grande** maison*

*un **bon** thé*

*un **gros** poisson rouge*

*une **vieille** voiture des années 70*

*un **bon** peintre italien*

*un **beau** jour d'été*

However, many short adjectives are placed **after** the noun

*un manteau **chaud***

*un accueil **froid***

*une voiture **neuve***

*un lait **cru***

**Premier, dernier, procahin** are placed:
before nouns of succession or series: *le **premier** épisode, le **prochain***
*rendez-vous, la **prochaine** étape*
after nouns of time: *le mois **prochain**, l'été **dernier**, l'année*
***précédente**, le week-end **prochain***
Numbers are placed before **dernier/premier/prochain/autres**:
*les **trois** <u>prochains</u> jours, les **deux** <u>derniers</u> étés, les **trois** <u>prochaines</u>*
*séances*

Where there are two adjectives, "beau", "bon", "joli" are placed
before others:
*un **beau** petit bébé*
*une **jolie** petite maison*
*un **bon** gros morceau de fromage*
With a long adverb such as "incroyablement", "étonnamment", the
adjectives are placed after the nouns:
*un **grand** succès – un succès incroyablement **grand***
*un **beau** tableau – un tableau étonnamment **beau***
*une **belle** rencontre – une rencontre exceptionnellement **belle***

## Exercises
### A. Which one is correct?
*un paysage montagneux* / ~~un montagneux paysage~~
1. une table **ronde** / une **ronde** table
2. un **scientifique** manuel / un manuel **scientifique**
3. une voiture **verte allemande** / une voiture **allemande verte**
4. une table **grise basse** / une table **basse grise**
5. une marque **connue coréenne** / une marque **coréenne connue**
### B. Place the adjectives where they belong to
1. un ... ... ... café ... ... ... (bon)
2. une ... ... ... route ... ... ... (sinueuse)
3. une ... ... ... affaire ... ... ... (grosse)
4. une ... ... ... vue ... ... ... (belle)
5. une ... ... ... eau minérale ... ... ... (chaude)
6. J'ai pris un ... ... ... bain ... ... ... hier soir. (chaud)
7. L'air de la nuit donnait à penser que l'on respirait l'haleine d'un ...
... ... ... ... grand corps endormi, ... ... ... ... ... , oppressant. (chaud)

8. Je renaquis avec un ... être ... ... ... ..., sous un ... ... ... ciel ... ... ... et
au milieu de choses complètement renouvelées. (neuf)

**C. Make a sentence for each groupe** (the genders of the adjectives
changes accordingly)

*bon – gros : Il a gagné une bonne grosse somme d'argent.*

1. *beau – petit*

... ... ... ... ... ... ... ... ... ... ... ... ... ... ... ... ... ... ... ... ... ... ... ... ... ... ... ... ... ... ... ... ... ...
... ...

... ... ... ... ... ... ... ... ... ... ... ... ... ... ... ... ... ... ... ... ... ... ... ... ... ... ... ... ... ... ...
... ...

2. mauvais – conséquence - immanquablement

... ... ... ... ... ... ... ... ... ... ... ... ... ... ... ... ... ... ... ... ... ... ... ... ... ... ... ... ... ... ... ... ...
... ...

... ... ... ... ... ... ... ... ... ... ... ... ... ... ... ... ... ... ... ... ... ... ... ... ... ... ... ... ... ... ... ... ...
... ...

3. rendez-vous – prochain – moi - prochain

... ... ... ... ... ... ... ... ... ... ... ... ... ... ... ... ... ... ... ... ... ... ... ... ... ... ... ... ... ... ... ... ...
... ...

... ... ... ... ... ... ... ... ... ... ... ... ... ... ... ... ... ... ... ... ... ... ... ... ... ... ... ... ... ... ... ...
... ...

# PART THREE, Day 29 - Noun: un grand homme, un homme grand

### Placement of adjectives: particular cases

When the meaning changes according to the placement of adjectives

un **seul** homme (one person, one man) *Un **seul** homme n'est pas suffi pour soulever 600kg.*

un homme **seul** (a loner) *Beaucoup de penseurs sont des hommes **seuls**.*

des **différentes** versions (several versions)

des versions **différentes** (not the same versions, different)

un **drôle** événement (strange)

un événement **drôle** (funny)

une **curieuse** femme (weird, strange)

une femme **curieuse** (eager to learn)

un **cher** ami (a dear friend)

un manteau **cher** (an expensive coat)

un **sale** garçon (a despicable/bad boy)

un garçon **sale** (not clean, a boy who needs a shower and change clothes)

un **ancien** locataire (an former tenant)

un bâtiment **ancien** (an old building)

un **certain** âge (not very young, say somebody in their 40s)

un âge **certain** (rather old, say somebody in their 70s)

ses **propres** affaires (personal belongings)

des affaires **propres** (things that are clean)

un **grand** homme (a man who is well known)

un homme **grand** (a tall man)

un **petit** salaire (a modest salary)

un homme **petit** (a small man, a dwarf)

un **brave** homme (a good man)

un homme **brave** (a bold, fearless man)

une **triste** personne (a bad person, somebody to avoid)

une personne **triste** (somebody who is sad)

*un exemple **parfait*** (an excellent example)
*un **parfait** inconnu* (a complete stranger)
*un **pur** bonheur* (pure happiness)
*une eau **pure*** (clean drinkable water)
*un **chic** type* (a very nice person)
*une fille **chic*** (an elegant girl)

When it comes to subjective adjectives (judgment, personal impressions), placement before nouns is *more emphatic*:
*un **surprenant** résultat/un résultat **surprenant***
*une **majestueuse** demeure/une demeure **majestueuse***
*un **étonnant** voyage/un voyage **étonnant***
*un **charmant** village/un village **charmant***
*un **tragique** incident/un incident **tragique***
*un **magnifique** soleil/un soleil **magnifique***
*un **délicieux** parfum/un parfum **délicieux***
*un **énorme** succès/un succès **énorme***
*une **lourde** responsabilité/une responsabilité **lourde***
*un **profond** respect/un respect **profond***
*une **affreuse** odeur/une odeur **affreuse***

When it comes to plurals:
***des** résultats surprenants*
***de surprenants** résultats* (**des + adjective = de**)
***des** demeures majestueuses*
***de majestueuses** demeures*

## Exercises
**A. Place the adjectives where they belong to, the gender and number agreement applies**
**deuxième** - *La **deuxième** version va apparaître en septembre.* ~~La version deuxième...~~
1. **petit** – Un ... salaire ... pour un ... homme ... n'a aucun sens.
... ... ... ... ... ... ... ... ... ... ... ... ... ... ... ... ... ... ... ... ... ... ... ... ... ... ... ... ... ... ... ... ... ...
... ...
2. **brave** - Un ... homme ... n'est pas forcément un ... homme ....
... ... ... ... ... ... ... ... ... ... ... ... ... ... ... ... ... ... ... ... ... ... ... ... ... ... ... ... ... ... ... ... ... ...
... ...

3. **chic** - Des ... filles ... ne sont pas nécessairement des ... filles ....

........................................................................................................

........

4. **cher** - Manger des ... repas ... avec de ... amis ... n'est pas son truc.

........................................................................................................

........

5. **dôle** - On ne comprend pas ce qui se passe en ce moment : c'est un ... événement ....

........................................................................................................

........

6. **grand** - Victor Hugo était un ... homme ....

........................................................................................................

........

7. **curieux** - Cette enfant apprend très vite : elle est une ... fille ....

........................................................................................................

........

8. **propre** - Je lave tous mes vêtements trois fois par semaine. Toutes mes ... affaires ... sont des ... affaires ....

........................................................................................................

........

9. **charmant** - Je trouve tous les villages dans cette compagne sont assez charmants, but celui-ci en particulier est un vrai ... village ....

........................................................................................................

........

10. **sale, seul, ancien** - Un ... homme ... est le ... locataire ... dans ce ... bâtiment ....

........................................................................................................

........

11. **magnifique** - Il y a des ... châteaux ... en France.

........................................................................................................

........

12. **parfait** - Je n'ai jamais rencontré des ... inconnus ... dans cet endroit.

........................................................................................................

........

# - PART FOUR -

## PRONOUN

# PART FOUR, Day 30 - Pronoun: il, ça

Which one to use: **ça** or **il**?
The use of **"ça"** and **"il"** are neutral and impersonal.

**Ça** refers to *an identifiable subject*.
*Ça fonctionne !* (eg: Cet ordinateur fonctionne !)
*Ça sent pas bon !* (=cette odeur)
*Attention, ça pique !* (=une abeille)

**Ça** as impersonal subject **"quoi"**:
*Je te verrai cet après-midi ? – Ça dépend (de la situation, de mon humeur, des circonstances...).*
*Ça me touche.*
*Ça me gêne.*
*Ça me donne envie.*
*Ça me dépasse.*
*Ça me convient.*
*Ça me fait plaisir.*
*Ça me rassure.*
*Ça suffit. / Ça ne suffit pas.*

**Il** refers to *an unidentifiable subject*; nature, time, etc.
*Il fait beau. / Il fait nuit/nour. / Il fait froid.*
*Il pleut moins cet été.*
*Il pleut. / Il neige.*
*Il est midi. / Il est 16h30.* (=punctual) But *C'est le soir.* (=a period of time)
(**C'**est dimanche, **il** est 13 heures.) ~~Il est dimanche.~~

Restrictions, obligations with **de** or **que**
*Il suffit d'observer.* (**Il** suffit **de** + infinitive=you/one must...)
*Il suffit de constater/rappeler/demander/regarder...*
*Il faut que je le fasse.* (**Il** faut **que** + subjunctive)

*Il faut **que** je te parle.*
*Il faut **que** je parte.*

**Il** as personnel subject "**qui**":
*Il me manque.*
*Il me touche.*
*Il me gêne.*
*Il me fait plaisir.*

**Il** used with a quantity:
*Il **reste encore** beaucoup de chose. On n'a pas besoin de faire des courses aujourd'hui.*
*Il **reste** deux places.*
*Il **manque** des éléments.*
*Il **manque encore** quelque chose.*
*Il **suffit de peu** (de temps/de choses) **pour**
constater/produire/surmonter/vivre...*

**Il paraît que**... (=somebody told me), **on dirait que**... (=it looks/seems like)
*Il **paraît** qu'il fait chaud en Inde.*
*On **dirait** qu'il dit la vérité (mais il ment).*

**Exercises**
**A. Follow the given examples**
*Ce manteau me plaît. – **Ça** me plaît.*
Je trouve que cette personne est sympa. – *Il me plaît.*
1. Cette situation dépend de toi. - ... ... ... *dépend de toi.*
2. Cette épreuve me dépasse. - ... ... ... *me dépasse.*
3. Te rencontrer me fait beaucoup de plaisir. – ... ... ... *me fait beaucoup de plaisir.*
4. Cet objet me convient. – ... ... ... *me convient.*
5. Ton voisin me plaît. – ... ... ... *me plaît.*
6. Jouer me plaît. – ... ... ... *me plaît.*
7. *Mes amis me rendent heureux. – ... ... ... me rend heureux.*
8. Danser avec des inconnus ne m'intéresse pas. – ... ... ... *ne m'intéresse pas.*

**B. Follow the given example**

*C'est mardi 6 mai, **il** est 10 heures du matin.*

1. L'heure : **18h30** – ... ... ... *est 18h30.*

2. La date : **lundi 5 mai** – ... ... ... *est lundi 5 mai.*

3. L'année : **2018** – ... ... ... *est 2018.*

4. **07h15, jeudi 8 juin** – ... ... ... *est 7 heures du matin, jeudi 8 juin.*

**C. Use: Il paraît** ... ... ... or **On dirait**...

1. J'ai téléphoné à ma sœur hier soir. ... ... ... ... ... elle me manque.

2. Je ne trouve toujours pas mon stylo préféré. ... ... ... ... ... ... je l'ai perdu définitivement.

# PART FOUR, Day 31 - Pronoun: ça, c'est, il est

Both "ça" and "c'" become "cela" in written text.

**Ça**+verb, **c'est**+adjective.

Used to replace a phrase:
*Nager dans la piscine, **ça** m'amuse.*
*Nager dans la piscine, **c'est** amusant.*

***Cela** m'amuse. / **Cela** est amusant.*

**Il est**+adjective v. **c'est**+adjective
**C'est**+adjective repeats what comes before: *Nager, **c'est** amusant.*
**Il est**+adjective introduces what comes next: ***Il est** amusant **de**
nager.*
***Il est** fatigant **de** travailler la nuit. / Travailler la nuit, **c'est** fatigant.*
***Il est** difficile **de** trouver quelqu'un de confiance. / Trouver quelqu'un
de confiance, **c'est** difficile.*
***Il est** triste **de** constater combien de gens sont laissés dans la rue. /
Constater combien de gens sont laissés dans la rue, **c'est** triste.*
***Il vaut mieux** rester prudent. / Rester prudent, **ça vaut mieux.***
("il vaut mieux/le coup/la peine..." and "ça vaut mieux/le coup/la
peine..." are fixed phrases, but again, "il vaut ... " introduces what
comes next, and "ça vaut ..." repeats what comes before)

In spoken French, to put more emphasis on a comment, the subject
of the sentence is detached:
*Nager, **ça** m'amuse.*
*Nager, **c'est** amusant.*
*Garder ton chat quand tu seras en vacances, **ça** ne me pose pas de
problème.*
*Boire un litre d'eau par jour, **ce n'est pas** suffisant.*
*Se détendre au soleil, **ça** fait du bien.*
Using **c'est** at the beginning of a sentence in spoken French:

*C'est fatiguant d'avoir trois petits enfants.* (this is <u>not</u> acceptable in written text, use **Il est** fatiguant **de**... for writing)

**C'est**... **à** is placed at the end of a sentence when used with a verb without complement:
*C'est fascinant **de** voir <u>un film en RV</u>.*
*Voir un film en RV, **c'est** fascinant **à** <u>faire</u>.*
*C'est facile **de** pratiquer du yoga.*
*Pratiquer du yoga, **c'est** facile **à** faire.*
We say:
*Il est difficile **de** pratiquer du yoga ? – Non, **c'est** facile **à** faire.*

The placement of **ça** at the beginning and at the end of a sentence:

| | |
|---|---|
| *Avoir trois enfants, **ça** fatigue.* | *Ça fatique **d'**avoir trois enfants.* |
| *Voir un film en RV, **ça** me fascine.* | *Ça me fascine **de** voir un film en RV.* |
| *Nager, **ça** m'amuse.* | *Ça m'amuse **de** nager.* |

**Ça** as subject is replaced by a subject pronoun:
*C'est fascinant. – **Ça**, c'est fascinant.*
**Ça** as complementary object is replaced by an object pronoun:
*J'ai déjà parlé de **ça**. – **Ça**, j'**en** ai déjà parlé.*

**Exercises**
**A. Use: c'est** or **il est/elle est, ça vaut** ... or **il vaut** ...
*Danser, **ça** m'amuse. – Danser, **c'est** amusant.*
1. ... ... ... ... ... ... amusant de danser.
2. Travailler plus de 12 heures par jour, ... ... ... ... ... ... fatigant.
3. ... ... ... ... ... ... passionnant de faire du saut à l'élastique.
4. Faire du saut à l'élastique, ... ... ... ... ... passionnant.
5. Trouver quelqu'un de confiance, ... ... ... ... ... (use negative) facile.
6. Vérifier tout avant de voyage, ... ... ... ... ... ... la peine.
7. ... ... ... ... ... ... le coup de vérifier tout, même si vous pensez que tout est en ordre.

8. ... ... ... ... ... triste de voir des gens marcher dans la rue sans chaussure ni rien.

9. Boire dix cafés par jour, ... ... ... ... ... ... (use negative) bon pour la santé.

**B. Follow the given examples**

*C'est difficile de monter à cheval pour un habitant de ville. - Monter à cheval pour un habitant de ville, c'est difficile à faire.*

*Travailler la nuit, ça fatigue. - Ça fatigue de travailler la nuit.*

1. ... ... ... ... ... ... (use negative) possible de parler couramment une langue étrangère en six mois.

2. Parler couramment une langue étrangère en six mois, ... ... ... ... ... ... (use negative) possible à faire.

3. Prendre un bain chaud, ... ... ... ... ... ... me plaît beaucoup.

4. ... ... ... ... ... ... me plaît beaucoup de prendre un bain chaud.

5. Écouter de la bonne musique, ... ... ... ... ... .... me détend.

6. ... ... ... ... ... ... me détend d'écouter de la bonne musique.

# PART FOUR, Day 32 - Pronoun: c'est, il/elle est

**C'est** is used for general ideas: *Vivre dans la campagne, **c'est** bon.*
*Voir un bon film, **c'est** divertissant.*
*Marcher 10 kilomètres, **c'est** long.*
*Voyager dans un pays sans connaître la langue, **c'est** prenant.*
*Un enfant métis, **c'est** beau.*
*Une robe épaisse, **c'est** chaud.*

**Il est/elle est** is used for particular cases: *Vivre dans <u>cette</u> campagne, **il est** bon.*
*Voir Avatar 2 en RV, **il est** divertissant.*
*Marcher <u>d'ici</u> au sommet de <u>cette</u> colline, **il est** long.*
*Voyager en France sans connaître le français, **il est** prenant.*
*Emma est métis, **elle est** belle.*
*Ta robe épaisse, **elle est** chaude.*
*Cette montagne, **elle est** belle.*
*Cette ville, **elle est** grande.*
*Ce village, **il est** petit.*
*Cette tour devant nous, la tour Eiffel, **elle est** connue.*

**C'**est (=cela est) is used as pronoun for <u>proper</u> nouns ; Emma, Montblanc, Larry, Londres...
*Montblanc, **c'est** beau.*
*Istanbul, **c'est** grand.*
*Le village d'Evol, **c'est** petit.*
*La tour Eiffel, **c'est** connu.*
**C'est** is neutral, adjectives take their dictionary form, no plural nor gender specific.
*Paris, **c'est** beau.*
*Une ville, **c'est** grand.*
*Un village, **c'est** petit.*
*Un feu, **c'est** quelque chose de **chaud**.*
*Une glace, **c'est** quelque chose de **froid**.*

Compare: **c'est+noun, c'est+adjective, and, il est/elle est+adjective**

**1.** To identify something or somebody, use **c'est+noun**

**2.** To describe something or somebody, use **il est/elle est+adjective**

**3.** To describe a general idea, use **c'est+adejective**

For example

**1.** *C'est un livre. / C'est mon frère. / C'est une erreur. / C'est Emma. C'est une belle fille.*

Profession: *C'est un philosophe.*

Belief: *C'est un athée.*

Social: *C'est une végétalienne.*

Politic: *C'est un conservateur.*

**2.** *Il est beau. / Elle est belle. / Notre chien, un Bouledogue, il est adorable.*

Profession: *Elle est avocate.*

Belief: *Il est athée.*

Social: *Elle est végétalienne.*

Politic: *Il est socialiste.*

**3.** *C'est triste. / C'est beau. / C'est génial.*

An article is used in descriptions, unless the description is a part of the title:

*C'est un professeur compétent.* But, **Il est** professeur de français.

**Exercises**

**Fill the gaps with either "c'est, "ce n'est", "il est/elle est" or "ça".**

*Une voiture, c'est utile, mais la tienne, qui est restée dans le garage depuis deux ans, elle est inutile.*

1. Un enfant, ... ... ... beau, mais cet enfant-ci, quand tu lui regardes tout près, ... ... ... l'enfant le plus beau.

2. Cette montagne, ... ... ... haute, mais une montagne, ... peut être encore plus haut.

3. Le pont de l'Yssuke, ... ... ... (use negative) connu par personne.

4. ... ... ... une avocate compétente.

5. ... ... ... médecin de campagne.

6. Toro, … … … un philosophe connu (1817-1862).

7. C'est ton cheval ? … … … magnifique.

8. Un cheval, … … … un animal magnifique.

9. Aujourd'hui, avec ce merveilleux soleil, que … … … beau !

10. La tour Eiffel, … … … haut, mais cette tour-là, … … … même plus haute.

11. Vivre dans la tranquillité, … … … (use negative) un rêve facile à réaliser au 21ème siècle, malheureusement.

12. Comment décrivez-vous le feu ? – … … … quelque chose de chaud, de la combustion vive.

13. Et la glace ? – … … … quelque chose de froid, solide, dur et translucide.

14. Ta petite amie, elle est comment ? – … … … belle, grande et blonde.

15. Alice, … … … un nom de fille.

16. Ma nouvelle voisine, elle s'appelle Emma, … … … d'une beauté à couper le souffle.

# PART FOUR, Day 33 - Pronoun: je, moi...

**Je** and **moi**: "**je**" is a *subject* pronoun while "**moi**" is a pronoun *stressed*.

| | |
|---|---|
| *Je marche.* | *Qui veut marcher ? - **Moi.*** |
| *Il mange du pain.* | *Qui veut du pain ? – **Lui.*** |
| ***Nous** discutions.* | *Qui veut du chocolat ? – **Nous.*** |
| ***Ils** nagent dans le fleuve.* | *Qui veut nager ? – **Eux.*** |

The *subject* pronoun (*je, il, elle...*) is tied to a verb while the *stressed* pronoun (*moi, toi, lui...*) is independent.

| | |
|---|---|
| *J'ai envie de nager.* | *Qui veut nager ? - **Moi.*** |
| ***Nous** allons aller au parc.* | *Qui veut aller au parc ? – **Nous.*** |

The *stressed* pronouns are used in the same way as nouns.
With:
<u>C'est</u> : *C'est **moi**. C'est **lui**. C'est **nous**. Ce sont **eux**.*
<u>A preposition</u>: *C'est à **lui**. C'est chez **moi**.*
<u>Aussi</u>, <u>même</u> : ***Nous** aussi. C'est **lui-même**.*
<u>Et</u>, <u>ou</u>, <u>ni</u>, <u>pas</u> : ***Moi** ? – Pas **toi**. Et **lui** ? – Ni **toi** ni **lui**. Ça soit **eux** ou **nous tous**.*

*On* as *subject* pronoun, is followed by a singular *past participle* when it means *everyone*, a plural *past participle* when it means *nous*.
*On est **obligé** d'avoir une identité quand on prend un avion.* (on=everyone)
*On est bien **reposés** après huit heures de sommeil.* (on=nous)

*Soi* is a *stressed* pronoun singular, meaning *each and everyone*

99

*Il n'y a personne dans la rue ! Où sont-ils les gens ? – Chez **soi** !*
Use *eux* for plural: *De plus en plus des gens restent chez **eux** de nos jours !* ~~des gens restent chez soi~~

The *stressed* pronouns (moi, toi, nous, eux...) to mark a contrast or to reinforce the *subject* pronouns (je, tu, nous, ils...), mostly used in the spoken form.
***Lui, il** est le premier dans la file d'attente.*
***Moi, je** me lève tôt.*
***Eux, ils** sont ensemble depuis quelques mois.*
To avoid repeating the *subject* pronouns, we say:
*Ils ne vient pas dans le même appartement : **lui**, vit au 43, et **elle**, vit au 38.*

To sound less repetitive, replaced the *subject* pronoun by the relative pronoun *qui*:
*Ils ont gagné ! C'est **eux qui** ont gagné.*
*Vous êtes étudiants. C'est **vous qui** êtes étudiants.*
*Elle a écrit ce livre ! C'est **elle qui** a écrit ce livre.*
*J'ai vu le nouveau film. C'est **moi qui** ai vu le nouveau film.*
*Nous partons en vacances. C'est **nous qui** partons en vacances.*

## Exercises
## A. Follow the given example
*Qui prend du café ? – **Moi. Je** prends du café.*
1. Qui mange du fromage ? – (il)
.................................................................................................................
.........
2. Qui prend le thé ? – (elle)
.................................................................................................................
.........
3. Qui vit à quel étage ? – (il, au 2$^{\text{ème}}$, and, elle, au 3$^{\text{ème}}$)
.................................................................................................................
.........
4. Qui veut jouer ? – (nous)
.................................................................................................................
.........
5. Qui a cassé le verre ? – (il, pas moi)
.................................................................................................................
.........

**B. Follow the given example**

*Ils sont les nouveaux locataires au 6ème. C'est **eux qui** vivent au 6ème.*

1. Elle vient du Japon. C'est ... ... ...

...... ... ... ... ... ... ... ... ... ... ... ... ... ... ... ... ... ... ... ... ... ... ... ... ... ... ... ... ... ... ... ... ...
... ...

2. Nous avons loué cette maison. C'est ... ... ...

...... ... ... ... ... ... ... ... ... ... ... ... ... ... ... ... ... ... ... ... ... ... ... ... ... ... ... ... ... ... ... ... ...
... ...

3. Il lit beaucoup de livres en français. C'est ... ... ...

...... ... ... ... ... ... ... ... ... ... ... ... ... ... ... ... ... ... ... ... ... ... ... ... ... ... ... ... ... ... ... ... ...
... ...

4. Tu es fou. C'est ... ... ...

...... ... ... ... ... ... ... ... ... ... ... ... ... ... ... ... ... ... ... ... ... ... ... ... ... ... ... ... ... ... ... ... ...
... ...

5. Elle est complètement dingue. C'est ... ... ...

...... ... ... ... ... ... ... ... ... ... ... ... ... ... ... ... ... ... ... ... ... ... ... ... ... ... ... ... ... ... ... ... ...
... ...

6. Nous sommes heureux. C'est ... ... ...

...... ... ... ... ... ... ... ... ... ... ... ... ... ... ... ... ... ... ... ... ... ... ... ... ... ... ... ... ... ... ... ... ...
... ...

# PART FOUR, Day 34 - Pronoun: je la vois, je lui regarde..., en, y

Direct (**le, la, les...**) and indirect (**lui, leur**) complementary pronouns

## 1. Pronouns which come *before* the verb

Direct pronouns, *me, te, se, nous, vous, le, la, les* : *Je te vois. / Je **vous** vois. Je **me** vois* (in the mirror). *Je **le/la/les** vois.*

More verbs with the same construction: *appeler, saluer, aider, interroger, remercier, encourager, connaître, rencontrer, tuer, enlever, insulter, agresser, autoriser, empêcher, persuader, convaincre,* and so on

*Je **le** salue.*

*Il **l'**a connue il y a deux ans.* (=*Il **l'**a rencontrée...*)

*Je **l'**encourage.*

With voici/voilà : *Ah, **te** voilà ! / Et maintenant, **les** voici !*

Indirect pronouns (=*sourire **à** quelqu'un*, for example), *me, te, se, nous, vous, **lui, leur** : Je **te** souris.* (=*Je souris **à toi**.*) */ Je **vous** souris. / Je **me** souris* (in the mirror). *Je **lui** souris. / Je **leur** souris.*

*Parler **à** un ami : Je **lui** parle.*

*Téléphoner **à** ses parents : Je **leur** téléphone.*

More verbs with the same construction: *dire bonjour **à**, demander **à**, donner quelque chose **à**, écrire **à**, emprunter **à**, répondre **à**, offrir quelque chose **à**, répondre **à**, prêter quelque chose **à**, souhaiter **à**, ressembler **à**, manquer **à**, plaire **à**, convenir **à**, être fidèle **à**, reprocher **à**, suggérer **à**, proposer **à**, ordonner **à**, promettre **à**, défendre **à**, interdire **à**, permettre **à***, and so on

*Je **lui** suis fidèle.*

*On **se** ressemble.*

*Elle **leur** manque.*

The indirect pronoun is placed before the infinitive: *Je dois téléphoner. - Je dois **lui** téléphoner. / Je peux **leur** parler. / Je vais **lui** aider.*

The indirect pronoun comes *before* a composed verb: *Il **leur** a parlé.*

/ *Elle **lui** a parlé.*

The past participle *agrees* with the *direct pronoun*: *(elle) Je **l'ai vue**. /
(il) Je **l'ai vu**. (ils) Je **les ai vus**.*

The past participle *does not agree* with the indirect pronoun: (à elle)
*Je **lui** ai parlé. /* (à lui) *Je **lui** ai parlé. /* (à eux) *Je **leur** ai parlé.*


With certain verbs; <u>rembourser</u>, <u>conseiller</u>..., constructions with
both <u>direct</u> and <u>indirect</u> pronouns are possible.

Direct: <u>rembourser quelqu'un</u>, <u>conseiller quelqu'un</u>, *Je **les**
rembourse. / Elle **le** conseille.*

Indirect: <u>rembourser quelque chose **à** quelqu'un</u>, <u>conseiller quelque
chose **à** quelqu'un</u>, *Je **lui** rembourse la différence. / Il **leur** conseille de
ne pas conduire en état d'ivresse.*


Neutral pronouns, <u>en</u>, <u>y</u>, and <u>le</u> come *before* the verb.

**1. En** replaces a part of a sentence starting with **de**...

**2. Y** replaces a part of a sentence starting with **à**...

**3. Le** replaces a part of a sentence starting with **que**...

1. En, *J'**en** ai envie.* (=J'ai envie **de** <u>manger un bon repas dans un bon
restaurant</u>.)

2. Y, *Elle **y** pense souvent.* (Elle pense **à** <u>partir en vacances en
Espagne</u>.)

3. Le, *Je **le** souhaite.* (Je souhaite **que** <u>le monde devienne plus juste et
pacifique</u>.)


**Le** can replace an adjective: *Elle est <u>belle</u>. – Oui, elle **l'**est. / Est-ce qu'Il
est <u>gentil</u> ? – Non, il ne **l'**est pas.*

**Le** used with comparatives: *Elle joue la guitare mieux que je ne **la**
pensais. / Il est plus sympa que je ne **l'**ai imaginé.*

More examples of **en** as pronoun:

*Tu as un stylo ? – Oui, j'**en** ai un.*

*Tu as des bons livres à me recommander ? – C'est possible. J'**en** ai
quelques-uns en tête.*

(at a hotel reception) *Bonsoir, je cherche une chambre pour la nuit, s'il
vous plaît. – Bonsoir, j'**en** ai une grande avec de la vue sur la mer et une
autre, plus petite, sans télé. La quelle prendriez-vous ?*

**Exercises**

**A. Use the direct/indirect pronouns as shown in the example**

*Je regarde...* (elle). *– Je **la** regarde.*

*Je couris...* (à elle). *– Je **lui** souris.*

1. Je vois... (moi) ...........................................................

2. Il appelle... (eux). ......................................................

3. Elle plait... (à moi). ....................................................

4. Ils aident... (eux). .......................................................

5. Elle dit bonjour... (à moi). ..........................................

6. Elle empêche... (lui) de partir. ....................................

7. J'offre... (à lui) un cadeau. 8. ....................................

Il aide... (moi) à démarrer. .............................................

9. Je conseille... (à lui) de rester. ...................................

10. Ils invitent... (moi) à dîner. .......................................

**B. Complete the sentences**

1. *Si tu veux, je peux parler...* (à lui). *Je ne dirai pas...* (il) *le fait que tu a raconté...* (à moi) *de tout ça.*

2. *Quand j'ai vu...* (elle), *j'ai parlé...* (à elle) *de ta situation. Elle conseille...* (toi) *de rester calme et qu'elle va aider...* (toi). ...............

...............................................................................

...............................................................................

...............................................................................

...............................................................................

**C. Transform sentences with "en", "y", and "le"**

*Je souhaite **que** tu viennes à mon anniversaire. – Je **le** souhaite.*

1. J'ai envie **d'**aller faire des courses. - ..........................

2. J'espère **que** tout va bien. - ......................................

3. Ils croient **à** une agriculture sans chimie. - ................

4. Il est **moche**. – Non, ...............................................

… … …
5. Elle connaît ce sujet mieux que moi. - … … … … … … … … … … … … … … …
… … …

# PART FOUR, Day 35 - Pronoun: à elle, de lui, en, y

Indirect (**à lui, de toi, y, en**) complementary pronouns

## 2. Pronouns which come *after* the verb

The pronouns which come after the verb are the *stressed* or *highlighted* pronouns.

*Je me suis attaché à elle.* (verb+**à**... )

More verbs+**à**: *penser **à**, faire attention **à**, tenir **à**, s'intéresser **à**, se fier **à**...*

*Je pense à elle/à lui.*

*Je fais attention à eux.*

*Je me fie à elle.*

*Je suis fier de toi.* (verb+**de**... )

More verbs+**de**: *se méfier **de**, s'occuper **de**, avoir envie **de**, parler **de**, se moquer **de**...*

*Il se méfie d'elle.*

*J'ai envie de toi.*

*Je m'occupe d'eux.*

These verbs differ from **people** to **things**.

People:

*Il tient à elle.* (=this girl)

*Elle s'occupe d'eux.* (=her children)

Things:

*Il y tient.* (=his laptop)

*Elle s'en occupe.* (this situation)

**En** and **y** are only possible as pronouns for things *in written* French. However, in *spoken* French we may hear them used for people: *Qui va s'occuper de les invités ? – Je vais m'en occuper.*

## Exercises

**A. Use "à" or "de"**

*Je pense **à tois**.*

1. J'ai envie … … (toi) garder à mes côtés le plus longtemps possible.

2. Il pense … … (ils) très souvent.

3. Je tiens… … (vous) remercier d'être venus si nombreux ce soir.

4. Elle se méfie … … (il).

5. Il s'occupe … … (ils).

6. Elle est fière … … (toi).

**B. Use "à", "de", "y", or "en"**

*Je vais m'occuper de cette situation. – Je vais m'**en** occuper.*

1. Il s'occupe tous les fonctionnements anormaux. – Il … … … …

2. Qui va s'occuper **des nouveaux employés** ? – (Spoken) Bernad … … … … … … …

3. Elle tient … … … … (son petit ami).

4. Il tient … … … … (son téléphone portable).

5. On va s'occuper … … … … (une situation difficile).

# PART FOUR, Day 36 - Pronoun: je les appelle, je vais les appeler

**The placement of complementary pronouns**
The complementary pronouns are placed before the verb of which they are the complements.

**1. The placement: when there is one complementary pronoun**
Appeler ses amis > les appeler (*les*, the complementary pronoun)
Placed <u>before</u> composed verbs:
*J'ai appelé mes amis. – Je **les** ai appelés.*
*J'avais appelé mes amis. – Je **les** avais appelés.*
*J'eus appelé mes amis. – Je **les** eus appelés.*

Placed just <u>before</u> an infinitive:
*Je vais appeler mes amis. – Je vais **les** appeler.*
*Je voudrais appeler mes amis. – Je voudrais **les** appeler.*
*Je pense appeler mes amis. – Je pense **les** appeler.*
The same construction for:
*Ça peut **se** corriger. / Ça peut **se** discuter. / Ça peut **se** passer.*

Placed <u>before</u> a group of a perception verb+infinitive (perception verbs; *regarder, voir, écouter, entendre, sentir*):
*Je regarde jouer mes amis. - Je **les** regarde jouer.*
*Je vais voir jouer mes amis. – Je vais **les** voir jouer.*
*J'ai entendu jouer mes amis. – Je **les** entendes jouer.*
*J'ai déjà vu jouer mes amis. – Je **les** ai déjà vus jouer.*
The past participle agrees with the complementary pronoun: *Je **les** ai **vus** jouer. / Je **les** avais **appelés**.*

<u>Faire</u>+infinitive is invariable:
*Je vais faire réjouir mes amis. – Je vais **les** faire réjouir.*
*J'ai fait réjouir mes amis. – Je **les** ai fait réjouir.*

**2. The placement: when there are two complementary pronouns**

*Je te donne ce cadeau. – Je **te le** donne.* (=people <u>before</u> things)
*Je donne ce cadeau à elle/lui/eux. – Je **le lui/leur** donne.* (=things
<u>before</u> people, when it comes to the third person indirect; lui, leur)
Have a look at the order below:

| | me | | | | |
|---|---|---|---|---|---|
| | te | | | | |
| | se | le | | | |
| Je | nous | la | lui | en | donne. |
| | vous | les | leur | | |
| | se | | | | |

*Je donne un cadeau. –*
*Je **te le** donne.*
*Je **le lui** donne.*
*Je donne deux cadeaux à lui. –*
*Je **lui en** donne deux.*
*Je **leur en** donne beaucoup.*


The past participle-verb agreement
Except "en", the agreement is effective if the pronoun comes before
the past participle.
*Les cadeaux, tu **les leur** as **donnés** ? – Oui, je **leur en** ai donné.*
*J'ai donné trois cadeaux à ma meilleure amie. – Je **lui en** ai donné trois.*


With the imperative, *Va ! / Reviens. / Ne fais pas ça !*, the
complementary pronoun comes <u>after</u> the verb:
*Écoute-**moi** !*
*Dis-**le-moi** vite !*
*Regarde-**la** !*
*Dépêchez-**vous** !*
*Attends-**les** !*
*Prête-**leur** !*


With the imperative *negative*, the complementary pronoun comes
<u>before</u> the verb:
*Ne l'écoute pas !*
*Ne **la** regarde pas !*

*Ne **vous** pressez pas ! On a le temps.*
*Ne **les** attends pas !*
*Ne **le leur** prête pas !*
*Ne **lui** réponds pas !*

With the construction of "voir", "faire", "laisser", "écouter", etc+infinitive, the complementary pronoun is placed <u>after</u> the 1$^{st}$ verb:
*Faites-**les** venir.*
*Laisse-**le** parler.*
*Écoutez-**la** chanter.*

## Exercises
**A. Rearrange the complementary pronouns in their proper places, make verb agree with the pronoun when necessary.**
*Je vais **la** regarder danser.*
1. J'appelle mes parents toutes les semaines. – J'appelle … … … toutes les semaines. (les)
.................................................................................................................
…… .
2. Demain, j'appellerai mon amie. – J'appellerai … … … demain. (la)
.................................................................................................................
…… .
3. Hier, j'ai appelé mes parents. – J'ai appelés … … … hier. (les)
.................................................................................................................
…… .
4. Avant, j'avais appelé mon amie tous les jours. – Avant, j'avais appelé … … … tous les jours. (la)
.................................................................................................................
…… .
5. Le week-end prochain je vais inviter mes amis. – Je vais inviter … le week-end prochain. (les)
.................................................................................................................
…… .
6. Je pense appeler … … … mais je ne le fais pas. (la)
.................................................................................................................
…… .
7. Ne t'en fais pas. Ça va passer … … … (se)
.................................................................................................................
…… .
8. Je voudrais voir … … … (le)

… … … … … … … … … … … … … … … … … … … … … … … … … … … … … … … … … … … … … … … … … .

9. Je peux regarder danser … … … toute la journée. (la)

… … … … … … … … … … … … … … … … … … … … … … … … … … … … … … … … … … … … … … … … … .

10. J'ai déjà vu danser … … … avant. (la)

… … … … … … … … … … … … … … … … … … … … … … … … … … … … … … … … … … … … … … … … … .

11. J'ai fait les enfants travailler sur leurs devoirs. – J'ai fait travailler … … … sur leurs devoirs. (les)

… … … … … … … … … … … … … … … … … … … … … … … … … … … … … … … … … … … … … … … … … .

## B. Follow the given example, make verb agree with the pronoun when necessary.

*Je donne beaucoup de cadeaux à mes amis. - Je **les leur** donne beaucoup.*

1. Je donne ce cadeau à toi. – Je … … …

… … … … … … … … … … … … … … … … … … … … … … … … … … … … … … … … … … … … … … … … … .

2. Je vais donner ce cadeau à elle. – Je … … …

… … … … … … … … … … … … … … … … … … … … … … … … … … … … … … … … … … … … … … … … … .

3. Il donne trop de cadeaux à elle. – Il … … …

… … … … … … … … … … … … … … … … … … … … … … … … … … … … … … … … … … … … … … … … … .

4. Moi, je ne donne pas assez de cadeaux à elle. – Moi, je … … …

… … … … … … … … … … … … … … … … … … … … … … … … … … … … … … … … … … … … … … … … … .

5. J'ai offert une fleur à elle. – Je … … …

… … … … … … … … … … … … … … … … … … … … … … … … … … … … … … … … … … … … … … … … … .

6. On a donné une fleur à moi. – On … … …

… … … … … … … … … … … … … … … … … … … … … … … … … … … … … … … … … … … … … … … … … .

7. Laisse amuser les amis. – Laisse … … …

… … … … … … … … … … … … … … … … … … … … … … … … … … … … … … … … … … … … … … … … … .

# PART FOUR, Day 37 - Pronoun: chacun, plusieurs, quelques-uns

## Indefinite quantity pronouns and adjectives

Indefinite pronouns:
*Chacun* a un nom.
*Plus d'un* a plusieurs noms. (=at least more than one, singular verb)
*Moins de deux* ont plusieurs noms. (=less than two, plural verb)
*Plusieurs* ont des noms imprononçables.
*Quelques-uns* ont des jolis noms.
*Certains* cachent leurs identités.

**Chacun/chacune** (=each and everyone, without exception):
(personnes) *Chacune doit avoir une carte d'identité.* (vélos de l'équipe) *Chacun doit être vérifié avant 8 heures.*
**Certains/d'autres** are used to indicate parts of the same group:
(personnes) *Certaines ont leurs identités, d'autres non.* (vélos de l'équipe) *Centains sont vérifiés, d'autres pas encore.*
**En**: *Est-ce qu'il y a des vélos non réservés ? – Il y en a deux **de** non réservés. / Il y en a deux **de** libres.* (use **de** before the past participle or an adjective with **en** + quantity)
**Plusieurs/quelques-uns** d'entre nous/vous/eux (plural): *plusieurs d'entre vous / quelques-uns d'entre eux*
**Chacun/chacune** de nous/vous/eux or d'entre nous/vous/eux (singular): *chacun de nous* or *chacun d'entre nous / chacune de vous* or *chacune d'entre vous*

Indefinite adjective:
*Chaque personne doit avoir une carte d'identité.*
*Plus d'une personne n'a pas de carte d'identité.* (singular verb)
*Moins de deux personnes ont plusieurs cartes d'identités.* (plural verb)
*Quelques personnes ne sont pas prêtes à partir ce matin.*
*Plusieurs personnes ne sont pas prêtes.*
*Certains vélos ne sont pas encore vérifiés.*

**Chaque** (=each and everyone without exception, invariable) *chaque personne / chaque vélo*

**Plusieurs** (invariable) *plusieurs personnes / plusieurs vélos*

Nous+**certain**, when **certain** placed after a noun, it means "real": *un succès certain / une valeur certaine*

**Certains/d'autres/des autres** are used to indicate parts of the same group: *certaines personnes ont leurs propres vélos, des autres personnes non.*

Pay attention here: **d'autres** personnes/vélos (indefinite, others/more) <u>but</u> **des autres** personnes/vélos (definite, the others) (Nous sommes une équipe de dix personnes. Nous avons quinze vélos.) *Nous n'avons pas besoin <u>d'autres</u> vélos. / D'ici, je ne vois que sept vélos. Où sont <u>des autres</u> vélos ?*

**Divers/différents** usages, **diverses/différentes** langues (=several) *Un ordinateur a des divers usages.*

Des usages **divers/différents**, des langues **diverses/différentes** (=not the same) *Chaque langue a des règles diverses. Des diverses langues ont des règles diverses.*

**Divers/différents/plusieurs** replace **des**:
*Une langue a des règles.*
*Une langue a diverses règles.*
*Une langue a différentes règles.*

**Plusieurs/quelques** personnes: *Plusieurs/quelques personnes ne sont pas encore arrivées.* ~~Plusieurs/quelques gens~~

**Exercises**

**A. Follow the given example**

*Chaque vélo est rouge. – Chacun est rouge.*

1. **Chaque** personne dit bonjour. -

... ... ... ... ... ... ... ... ... ... ... ... ... ... ... ... ... ... ... ... ... ... ... ... ... ... ... ... ... ... ... ... ... ... .

2. **Plus d'**un vélo est cassé. -

... ... ... ... ... ... ... ... ... ... ... ... ... ... ... ... ... ... ... ... ... ... ... ... ... ... ... ... ... ... ... ... .

3. **Quelques** personnes sont déjà parties. -

... ... ... ... ... ... ... ... ... ... ... ... ... ... ... ... ... ... ... ... ... ... ... ... ... ... ... ... ... ... ... .

4. **Plusieurs** personnes ont des noms imprononçables. -

… … … … … … … … … … … … … … … … … … … … … … … … … … … … … … … … … … … … …
… … .

5. **Certains** vélos sont trop vieux. -

… … … … … … … … … … … … … … … … … … … … … … … … … … … … … … … … … … … …
… … .

6. **Certaines** personnes sont trop fatiguées. -

… … … … … … … … … … … … … … … … … … … … … … … … … … … … … … … … … … … …
… … .

7. **Moins de deux** personnes ont dormi plus de 12 heures. - … … …

… … … … … … … … … … … … … … … … … … … … … … … … … … … … … … … … … … … …
… … .

**B. Use one of these words to complete sentences: d'autres, plusieurs, des autres, divers, chacun, de** (gender agreement may apply) Examine the given example if/when necessary.
*Divers outils ont usages… … … – Divers outils ont **divers** usages.*
1. Plusieurs personnes ont besoin vélos… … …

… … … … … … … … … … … … … … … … … … … … … … … … … … … … … … … … … … … …
… … .

2. Parmi nous, certaines ont leurs propres vélos, et non… …

… … … … … … … … … … … … … … … … … … … … … … … … … … … … … … … … … … … …
… … .

3. Un téléphone portable a usages… …

… … … … … … … … … … … … … … … … … … … … … … … … … … … … … … … … … … … …
… … .

4. Une langue a des règles… …

… … … … … … … … … … … … … … … … … … … … … … … … … … … … … … … … … … … …
… … .

5. De nous… … est censé être bon sur ce sujet.

… … … … … … … … … … … … … … … … … … … … … … … … … … … … … … … … … … … …
… … .

6. Plusieurs sont cassés. Pour être plus précis, il y en a trois cassés…
…

… … … … … … … … … … … … … … … … … … … … … … … … … … … … … … … … … … … …
… … .

7. Une langue a règles… …

… … … … … … … … … … … … … … … … … … … … … … … … … … … … … … … … … … … …
… … .

# PART FOUR, Day 38 - Pronoun: tout, toute, tous, toutes

## Indefinite pronoun, adjective and adverb

**Tout, tous, toutes**, pronouns
"Tout" is a neutral pronoun, invariable:
*Tout est quelque chose. Rien n'est rien.* (- V. Hugo)
*On a parlé de tout et de rien.*
*Tout se tait.* (=total silence)
*Tout va bien.*
*Tout est possible. / Merci pour tout.*
*Tout est bien qui finit bien.*
*Tout se passe bien.*
"Tous" and "toutes" are plural pronouns ("s" in "tous" pronoun is pronounced)
*Bienvenu à tous et toutes !*
*Venez tous !* (don't forget the final "s" here)
Placement of the pronouns:
*Je mange tout. Je les aime tous.* (after a simple verb)
*J'ai tout mangé. Je les ai tous mangés.* (before the past participle)
*Je vais tout manger. Je vais les tous manger.* (before the infinitive)
*Tout le monde est venu. / Ils sont tous venus.*
*Tous sont venus.* (for "tous" and "toutes", used as subjects are not very common)

**Tout, tous, toute, toutes**, adjectives
"Tout" as adjective agrees with the nouns that follow:
*Tout le matin / toute la matinée* (=in its entirety)
*Tous les mois / toutes les semaines* (=without exception)
*Tout le monde doit manger.* (=all the people existing, not <u>tous les gens doivent</u>)
When talking about specific groups of people, we never use "tout le monde", use "**tous les gens qui**..." or "**tous ceux qui**...":
*Tous les gens qui/Tous ceux qui sont partis à la fête ne sont pas encore*

115

*rentrés.*

Difference between objects and people

*Tu veux un livre ou un cahier ? – Les deux.*

*Tu veux ton père ou ta mère ? – **Tous les deux.***

*Tes deux sœurs ou ton frère ? – **Tous les trois.***

*Nous ferons tout **ce qui** est possible.* ~~Tout qui est possible.~~

*Je te donnerai tout **ce que** tu voudras.* ~~Tout que tu voudras.~~


**Tout, toute, toutes**, adverbs (=entirely)

The use of the masculine **tout** is always the same, invariable.

For the feminine **toute/toutes**, it depends whether a liaison is obliged or precedes a silent consonant.

The masculine: *Il est **tout** content. / Ils sont **tout** contents.*

The feminine: *Elle est **toute** contente. / Elles sont **toutes** contentes.*

*Elle est **tout/toute** amoureuse. / Elle est **tout/toute** enchantée.*

(gender agrees or not, both would sound the same with the liaisons, so the gender agreement is optional here)

When plural, *elles sont amoureuses*, for example, if used with "*toutes*" (and with the liaison "toutes amoureuses"), the adverb would be the same as the pronoun. To avoid this confusion, we use "tout" instead, "tout amoureuses", so: *Elles sont **tout** amoureuses. / Elle ne sont pas **tout** heureuses.*

When using "toute" before a consonant in a spoken dialogue with quotation marks, "toute" agrees with gender but not plural: *Elles sont **toute** contentes.* (only possible in spoken French)

**Du tout**, ~~de tout~~ (=at all, absolutely) reinforces a negaton when used with "pas", "plus" and "rien": *Pas **du tout**. / Plus **du tout**. / Rien **du tout**.*

*Tu veux changer ton appartement ? – Pas **du tout** ! Je me sens bien ici.*


**Exercises**

**A. Choose the correct form of "tout" to fill in the gaps**

*Je vous invite **tous** !*

***Toute** la matinée je reste actif.*

1. Quand je suis avec **tous** mes amis, on parle français ...

… … … … … … … … … … … … … … … … … … … … … … … … … … … … … … … … … … … … … … … … … … … … … … … … … … … ….

2. ... **le monde** dort ... la matinée le dimanche.

… … … … … … … … … … … … … … … … … … … … … … … … … … … … … … … … … … … … …
… … … .

3. Prenez … **ce que** vous voulez ! … est à donner !

… … … … … … … … … … … … … … … … … … … … … … … … … … … … … … … … … … … … …
… … … .

**B. Use "c'est tout ce que/qui"…, use the given example.**

*Deux pages, **c'est tout ce que j'ai écrit** aujourd'hui.*

1. Deux livres et un téléphone portable, … … … dans mon sac
(je/avoir).

… … … … … … … … … … … … … … … … … … … … … … … … … … … … … … … … … … … … …
… … … .

2. Dix euros, … … … dans la poche. (je/rester)

… … … … … … … … … … … … … … … … … … … … … … … … … … … … … … … … … … … … …
… … … .

3. Un verre d'eau, … … … ce matin. (je/boire)

… … … … … … … … … … … … … … … … … … … … … … … … … … … … … … … … … … … … …
… … … .

4. Je vais essayer de faire … … … possible. (être)

… … … … … … … … … … … … … … … … … … … … … … … … … … … … … … … … … … … … …
… … … .

5. Voyager, … … … (il/vouloir)

… … … … … … … … … … … … … … … … … … … … … … … … … … … … … … … … … … … … …
… … … .

6. Trois mots suédois, … … … quand j'étais en Suède (je/apprendre).

… … … … … … … … … … … … … … … … … … … … … … … … … … … … … … … … … … … … …
… … … .

**C. Is "s" silent in this sentence ? – Yes/No. For example.**

*Je suis très heureux que vous êtes **tous** venus.* (No.)

1. Je connais quelques-unes, mais je ne les connais pas **tous**.
(Yes/No.)

2. Elle est très sympathique. **Tous** mes amis la connaissent.
(Yes/No.)

3. Je venais ici **tous** les jours quand j'étais petit. (Yes/No.)

4. Ne parlez pas **tous** en même temps, s'il vous plaît ! (Yes/No.)

# PART FOUR, Day 39 - Pronoun: qui, que, dont, où

### Relative pronouns

**1. Qui**: qui is subject which refers to a person or a thing.
*La femme **qui** fume une cigarette est la propriétaire du magasin.*
*L'enfant **qui** joue s'appelle Michel.*
Qui is never shortened with any word that follows, nor followed by another subject.
*C'est l'homme **qui** aime la vie.*
*C'est un livre **qui** est très intéressant.*

**2. Que**: que is complementary of a direct object which refers to a person or a thing.
*La femme **que** je regarde est la propriétaire du magasin.*
*L'enfant **que** je vois jouer s'appelle Michel.*
Que is shortened with a vowel or a silent consonant that follows, the order of subject-verb is reversed.
*C'est la vie **qu'**aime l'homme.* (verb-subject, man loves life)
*C'est un livre **qu'**ont aimé les lecteurs.* (verb-subject)
Before on, we add an "l" which becomes *que l'on*...
*C'est un bébé **que** l'on trouve beau.*

**3. Dont**: dont is complementary of the indirect object de + noun:
*Je t'ai parlé **d'une fille**. – C'est la fille **dont** je t'ai parlé.*
*Avant l'été tu m'avais parlé **des films**. – Est-ce que tu as vu les films **dont** tu m'avais parlé ?*
*C'est la chose **dont** je t'ai parlé.*
*C'est l'ordinateur **dont** j'ai envie.*
*C'est une fille **dont** j'apprécie le charme.* (not son charme)
*C'est une chose **dont** je n'ai jamais parlé.* (not je en'ai...)
Dont means of the said number.
*Trois thés, **dont** un sans sucre.* (=two with sugar, one without)

**4. Où**: <u>où</u> is a relative of <u>both</u> place <u>and</u> time.

*C'était le jour **où** je suis né.*

*C'est le pays **où** je suis né.*

*Je ne me souviens plus le nom du village **où** on a pris une chambre dans une gîte. – Il s'appelle Comillas.*

*Je ne me souviens plus l'année **où** on a passé deux nuits à Comillas. – C'était 2007.*

**Là où, partout où, d'où**

*Remets la chaise **là où** elle était, s'il te plaît !*

*Mon chien s'arrête **partout où** il y a d'autres chiens.*

*Quel est le nom du pays **d'où** vient ce café ?*

### Exercises

**A. Use; qui, que, dont, or, où** correctly

*C'est une femme ... <u>l'on</u> trouve belle. – C'est une femme **que** l'on trouve belle.*

1. La fille ... porte une chemise blanche est ma sœur.

2. C'est une fille ... aime vivre.

3. Le fille ... tu regardes est la nouvelle femme de ton beau-frère.

4. Ma sœur, c'est une fille ... j'apprécie la joie de vivre.

5. 2010, c'était l'année ... je suis venu dans ce pays définitivement.

6. C'est un outil ... j'utilise souvent.

7. C'est cette vie ... aime je.

8. C'est une chanson ... ont adorée tous mes amis.

9. Je vais acheter trois cadeaux, ... un sera pour toi, les deux autres pour ta sœur et ton frère.

**B. Complete the sentences with; qui, que, dont, or, où**

*L'homme **qui** a écrit Walden et **qui** a vécu à Concord toute sa vie se nommait David Henry Thoreau.*

1. Je n'aime pas les gens ... donnent tout le monde des noms autres que les leurs ... ne donnent pas ce qui a leur demandé.

2. Le livre ... a écrit un ami à mon ... est devenu le livre le plus vendu et ... n'est trouvable nulle part aujourd'hui.

3. J'ai vu les dégâts ... ont fait les voleurs. C'est des dégâts ... couteront des milliers d'euros.

# PART FOUR, Day 40 - Pronoun: lequel, auquel, duquel

**Compound relatives: lequel, laquelle, lesquels,** used after a preposition (dans, avec, sur, pour)

*Voici l'appartement dans **lequel** j'habite depuis 2013.*

*Voici la chanson sur **laquelle** je travaille depuis hier.*

*Voici mes outils de travail avec **lesquels** je travaille depuis toujours.*

*Voici les raisons pour **lesquelles** j'ai besoin ton aide.*

With place and time, we may repace **dans lequel/laquelle**, etc with **où**:

*L'appartement **dans lequel** j'habite... / L'appartement **où** j'habite...*

*L'année **dans laquelle** j'ai déménagé... / L'année **où** j'ai déménage...*

**Contracted compound relatives: auquel, duquel, desquels**

|  |  |  |
|---|---|---|
|  | **auquel** | =à+lequel |
|  | **à laquelle** |  |
| à + le/les | **auxquels** | =à+lesquels |
|  | **auxquelles** | =à+lesquelles |
|  |  |  |
|  | **duquel** | =de+lequel |
|  | **de laquelle** |  |
| de + le/les | **desquels** | =de+lesquels |
|  | **desquelles** | =de+lesquelles |

*Les questions **auxquelles** il ne savait que répondre.*

*La personne du 5ème **chez laquelle** je vais rendre une visite.* (**laquelle**, when it's pronoun of a person, is interchange with **qui**) *La personne* *du 5ᵉᵐᵉ **chez qui** je vais rendre une visite.*

*C'est cette personne **chez laquelle** vit l'enfant. = C'est cette personne **chez qui** vit l'enfant.*

With *des gens*, we say *chez qui* : *Ce sont des gens **chez qui** je trouve une véritable amitié.*

*J'ai eu un retard à cause **duquel** j'ai raté mon bus.*

*Il y a une sortie à l'issue **de laquelle** vous verrez le bâtiment.*

*Il y a des sujets à propos **desquelles** nous savons bien peu.*

Definite (*sur laquelle*, *à laquelle*) v. neutral (*à quoi*, *sur quoi*)

*C'est le cheval **sur lequel** j'ai parié a gagné la course.* V. *C'est quelque chose **à quoi** je réfléchis.*

With a phrase of prepositions; à propos de, le long de, en face de, à côte de, use **duquel/de laquelle**, without such a phrase, use **dont**.

*C'est la rive au long **de laquelle** je promène tous les soirs.*

*C'est un homme à propos **duquel** on sait très peu.*

*C'est une amie **dont** je parle souvent à mes parents.*

*C'est un livre **dont** on parle beaucoup à la radio en ce moment.*

## Exercises

### A. lequel, laquelle, lesquels

1. C'est un projet <u>sur</u> … … … … … … … … je travaille tous les jours.

2. C'est des amis <u>avec</u> … … … … … … … … … je passe mon temps libre.

3. C'est un film <u>dans</u> … … … … … … … … il raconte une histoire d'amour.

4. C'est une table assez grande <u>sur</u> … … … … … … … … tu peux travailler comme tu voudras.

5. C'est une raison <u>contre</u> … je me bats depuis longtemps.

### B. auquel, de laquelle, dont, desquels, desquelles

1. Le vélo est le moyen de transport <u>grâce</u> … … … … … … … je peux me rendre au travail dans seulement 10 minutes.

2. L'Avenue des Champs-Elysées est une avenue <u>le long</u> … … … … … … … on trouve de nombreux magasins de luxe.

3. Ce sont des grands bâtiments <u>en face</u> … … … … … … … … on trouve un jardin spacieux.

4. Ce sont femmes <u>en compagnie</u> … … … … … … … … elle se sent bien.

5. C'est une fille … … … … … … … … … … j'aime la compagnie.

# PART FOUR, Day 41 - Pronoun: ce qui, ce que, ce dont

**Neutral relative pronouns**

**Ce qui** is a neutral subject, **ce que**, **ce dont** and **ce à quoi** are complements.

*Ce qui me convient est de me lever tôt le matin.*

*Tout ce que tu veux !*

*Je peux savoir ce dont tu t'inquiètes ?*

*Je ne peux pas deviner ce à quoi tu penses.*

*Me promener tard dans la soirée, c'est ce qui me plaît.*

*Ce qu'il me plaît de faire c'est de me promener tard dans la soirée.*

*Fais ce qui te plaît. Fais ce qu'il te plaît de faire.*

C'est tout **ce que** j'ai comme choses inutiles. (neutral pronoun)

C'est tout **ceux que** j'ai comme outils. (plural)

**Ce qui, ce que, ce dont** replace a phrase to draw a conclusion:

*Elle veut aider tout le monde qui a besoin d'aide :*

*ce qu'il est impossible.*

*ce qui est impossible.*

*Il vit une vie difficile, ce dont il se plaint tout le temps.*

**To highlight:**

<u>a subject</u> – **C'est** *mes deux frères* **qui** <u>ont</u> *construit cette maison.* (verb agrees with the subject)

**C'est** *Nietzsche qui a écrit Ainsi parlait Zarathoustra.* (~~C'était Nietzsche...~~)

<u>an direct complement</u> – **C'est** *un livre* **que** *j'ai acheté ce matin.*

<u>an indirect complement</u> – **C'est** *la couleur rouge* **dont** *j'ai besoin.*

<u>a location</u> – **C'est** *en Normandie* **qu'**elle est née. (~~C'était...~~)

<u>a date</u> – **C'est** *en 2010* **que** *j'ai changé mon pays de résidence.*

To highlight, use **c'est**... for both past and present:

**C'est** *Edison* **qui** *a inventé l'électricité.*

**C'est** *moi* **qui** *ai écrit ce message.*

Subject-verb agreement reminder:

**C'est** *les frères Wright* **qui** *ont essayé le premier vol motorisé.*

*C'est nous tous **qui** avons voyagé beaucoup l'année dernière.*

**Ce qui/que/dont/à quoi... c'est** are used to highlight a phrase:
*Ce **qui** est inutile, **c'est** d'acheter des choses inutiles.*
*Ce **à quoi** je pense tout le temps, **c'est** toi.*
*Ce **que** tu as fait, **c'est** génial.*
*Ce **dont** tu m'as demandé, **c'est** d'accord.*

**Exercises**
**A. Complete the sentences with; ce que, ce qui, ce qu'il,**
1. Il sait ... ... ... ... faut faire !
2. Je ne sais plus ... ... ... ... ... se passe en ce moment !
3. J'ai compris ... ... ... ... ... ... elle a dit.
4. Dîtes-moi ... ... ... ... vous voudriez boire.
5. C'est incroyable ... ... ... ... ... on trouve sur des réseaux sociaux.
6. Les chats adorent ... ... ... ... ... ... bouge.
7. Montre-moi ... ... ... ... ... ... tu as fait !
8. Maintenant on sait ... ... ... ... ... ... a déclenché la panique !
**B. Follow the given example, use; ce que/qui/dont... c'est...**
refus/payer le gagnant - *Ce **que** je refuse, **c'est** de payer le gagnant.*
1. fatigue/politiquement correct - ... ... ...
... ... ...... ..... ...... ..... ...... ..... ...... ...... ...... ..... ...... ...... ......
...
2. rêve/ monde plus juste - ... ... ...
... ... ...... ..... ...... ..... ...... ..... ...... ...... ...... ..... ...... ...... ......
...
3. mépris/morts tragiques - ... ... ...
... ... ...... ..... ...... ..... ...... ..... ...... ...... ...... ..... ...... ...... ......
...
4. séduction/autonomie - ... ... ...
... ... ...... ..... ...... ..... ...... ..... ...... ...... ...... ..... ...... ...... ......
...
5. crainte/réchauffement climatique
... ... ...... ..... ...... ..... ...... ..... ...... ...... ...... ..... ...... ...... ......
...
6. fascination/ignorance humaine - ... ... ...
... ... ...... ..... ...... ..... ...... ..... ...... ...... ...... ..... ...... ...... ......
...
7. attente/beau soleil
... ... ...... ..... ...... ..... ...... ..... ...... ...... ...... ..... ...... ...... ......
...

8. peur/réaction de mes parents - ... ... ...

... ...... ...... ...... ...... ...... ...... ...... ...... ...... ...... ...... ...... ...... ...... ...... ...... ......

...

9. révolte/discrimination - ... ... ...

... ...... ...... ...... ...... ...... ...... ...... ...... ...... ...... ...... ...... ...... ...... ...... ...... ......

...

**C.**

*Qui a écrit ce message ?* (moi) – ***C'est*** *moi* **qui** *ai écrit ce message.*

1. Où peut-on trouver un bon restaurant italien à Paris ? (le 4ème, Rue du Temple) – ... ... ... ... ... ... ... ... que vous trouverez des bons restaurants italiens.

2. Quand avez-vous voyagé solo pour la première fois ? (à l'âge de 14 ans, il y a 15 ans) - ... ... ... ... ... ... ... ..., que j'ai fait mon tout premier voyage solo.

3. Ça me plaît beaucoup. Qui a fait ce plat ? (lui) – ... ... ... ... ... ... ... ... pour vous.

# PART FOUR, Day 42 - Pronoun: qui est-ce qui... qu'est-ce qui...

**Qui** and **que** as interrogatory and relative pronouns

**Qui** represents a person: *Qui est là ? / Qui est à l'appareil ? / Qui êtes-vous ?*
**Que** represents a thing: *Que penses-tu de tout ça ? / Que dites-vous ? / Qu'est-ce que c'est ?*

**Qui** represents a <u>subject</u> (either person or thing): *Tu vois la femme **qui** nous regarde ? / Tu vois sa silhouette **qui** la distingue ?*

**Que** represents a complement (either person or thing): *C'est cette femme **que** je ai croisée hier. / C'est cette silhouette **que** je m'en souviendrai.*

To reinforce an interrogatory, in spoken French, we use "<u>Qui est-ce qui/que...</u>" or "<u>Que est-ce qui/que...</u>":
*Qui est-ce qui est cet homme ?* (=subject)
*Qui est-ce que tu vois ?* (=complement)
*Qu'est-ce qui se passe ici ?* (=subject)
*Qu'est-ce que vous dites ?* (=complement)

To insist, we say:
*Qu'est-ce que c'est <u>que ça</u> ? / Qu'est-ce que c'est <u>que ce machin</u> ?*
Asking a definition:
*Qu'est-ce qu'un mec bien selon toi ? / Qu'est-ce que parler comme une vache espagnole ?*

- *parler comme une vache espagnole* (=speak poorly, incomprehensible)

**Exercises**
**A. Use; que** or **qui** to complete the sentences

1. ... ... ... ... ... ... ... est-ce ?

2. ... ... ... ... ... ... ... vois-tu ?

3. Il y a un homme ... ... ... ... ... ... cherche sa femme.

4. Je vois une moto ... ... ... ... ... ... vient vers nous.

5. C'est l'homme ... ... ... ... ... ... j'ai vu tout à l'heure.

6. C'est une chose horrible ... ... ... ... ... ... ... je ne peux pas te dire.

**B. Use reinforced interrogatory; qui est-ce qui..., qui est-ce que..., qu'est-ce qui..., qu'est-ce que..., or to insist: qu'est-ce que c'est que...**

1. ... ... ... ... ... ... ... ... ... ... ... ... ... ... ... ... ... parle ? (subject)

2. ... ... ... ... ... ... ... ... ... ... ... ... ... ... ... ... ... tu regardes ? (complement)

3. ... ... ... ... ... ... ... ... ... ... ... ... ... ... ... ... ... ne va pas ? (subject)

4. ... ... ... ... ... ... ... ... ... ... ... ... ... ... ... ... ... tu as fait ? (complement)

# - PART FIVE -

## CAUSE, GOAL, EFFECT

# PART FIVE, Day 43 – Cause: parce que, comme, car, puisque...

**Parce que, comme** and **car** are used for <u>objective neutral causes</u>.
**Parce que** is placed <u>at the end</u> of a phrase to introduce a cause, and is used in replies to <u>pourquoi</u> to explain a fact.
*On mange au restaurant **parce que** l'on n'a rien dans le frigo.*
*<u>Pourquoi</u> mange-on au restaurant ? – **Parce que** le frigo est vide, et comme c'est le dimanche après-midi, tous les magasins sont fermés.*
*<u>Pourquoi</u> avons-nous faim quand il fait froid ? – **Parce que** notre corps manque de calories à brûler.*

**Comme** is placed <u>at the beginning</u> of a phrase to introduce a cause, it accentuate a circumstance.
*Comme nous n'avons rien dans le frigo, on mange au restaurant.*
*Comme tous les magasins sont fermés, nous ne pouvons pas faire les courses.*
*Comme la plupart des animaux sont exposés aux dangers extérieurs, ils ont une durée de vie réduite.*

**Car**, which replaces <u>parce que</u> in written text, is placed <u>at the end</u> of a phrase to introduce a cause.
*Ce débat nous concerne tous **car** la question est sérieuse et les enjeux sont considérables.*

**Puisque, du moment que** and **si** are used for <u>subjective causes</u>.
**Puisque** as subject clause, introducing a cause known to both the speaker and the listener, can be placed either at the beginning or at the end of a phrase.
*Puisque tu as faim, on va manger tout de suite.*
*On peut passer à table dès maintenant **puisque** tu as faim.*
Used with an explanation in the argument or with evidence to justifier a consequence (=if this... then that).
*Puisque tout est fini pour aujourd'hui, je vais partir.*
*Tu peux aller, **puisque** tout est fini pour aujourd'hui.*

*Tu peux aller, **du moment que** tout est fini pour aujourd'hui.*
(=puisque...)
*Tu peux aller, **si** tout est fini pour aujourd'hui. (=puisque...)*

Compare <u>objective</u> and <u>subjective</u> clauses:
*Il a beaucoup d'instruments de musique, **comme/parce qu'**il est musicien.* ~~puisqu'il est...~~
*Il joue de la guitare, **puisqu'**il est musicien.* ~~comme/parce qu'il est...~~
***Comme/parce qu'**il est musicien, Il a beaucoup d'instruments de musique.* ~~Puisqu'il est...~~
***Puisqu'**il est musicien, il joue de la guitare.* ~~Comme/Parce qu'il est...~~

To use several clauses in one sentences, use <u>et</u> **que**...
*Le gingembre est bon pour toi **parce que** tu as problèmes de digestion et **que** tu as souvent mal à l'estomac.*
*Elle m'appelle souvent **comme** elle me manque et **qu'**elle a mal à vivre sans moi.*
***Puisqu'**elle m'appelle souvent et **qu'**elle me raconte tout de sa journée, je commence à l'aimer.*

### Exercises
### A. Use; parce que, comme, or, car
1. Je n'ai pas faim … … … … … … … … … … j'ai mangé il y a demi-heure.
2. Cher monsieur, je vous laisse ce message … … … … … … … … … … je n'ai pu vous joindre par téléphone.
3. … … … … … … … … … … j'ai plus de batterie, je ne peux pas téléphoner.
4. Le bébé pleure … … … … … … … … … … il a faim.
5. … … … … … … … le bébé a faim, il pleure.
### B. Make sentences by using "puisque" with given clauses
Le silence reine. / Personne ne parle. - *Le silence reine **puisque** personne ne parle.*
1. Tu ne m'écoutes pas. / Je m'arrête de parler.
… … … … … … … … … … … … … … … … … … … … … … … … … … … …
… … …
2. Tu me parles. / Je t'écoute.
… … … … … … … … … … … … … … … … … … … … … … … … … … … …
… … …

3. Je vais marcher un peu. / J'ai mal aux jambes.

… … … … … … … … … … … … … … … … … … … … … … … … … … … … … … … … …
… …

4. J'éteint la télévision. / Je ne trouve rien d'intéressant à regarder.

… … … … … … … … … … … … … … … … … … … … … … … … … … … … … … … … …
… …

5. J'avais faim. / Je suis parti au restaurant.

… … … … … … … … … … … … … … … … … … … … … … … … … … … … … … … … …
… …

# PART FIVE, Day 44 – Cause: à cause de, grâce à, faute de, pour, par

**À cause de, faute de, par manque de**, and, **à défaut de**, are used for a <u>negative</u> cause.

**À cause de la/du** *Je ne peux pas sortir à cause de la tempête. / Je ne peux pas dormir à cause du bruit.*

**À cause de toi/moi...** *Tu as mal à cause de moi. / J'ai raté mon bus à cause de lui.*

**Faute de** (no article) *Je ne peux pas sortir faute de bon temps. / Je ne me sens pas bien faute de sommeil.*

**Par manque de** (no article) *Je ne peux pas sortir par manque de bon temps. / Je ne me sens pas bien par manque de sommeil.*

**À défaut de** (no article) *Je ne peux pas sortir à défaut de bon temps. / Je ne me sens pas bien à défaut de sommeil.*

**Grâce à** and **à force de** are used for a <u>positive</u> cause.

**Grâce à la/au** *La rue est propre grâce à la pluie. / Je sors plus souvent de chez moi grâce au vélo.*

**Grâce à toi/lui...** *Je me sens mieux grâce à toi. / Je ne suis pas blessé grâce à lui.*

**À force de** (no article) *La vallée est propre à force de forces naturelles. / J'ai développé plus de muscles à force d'entraînement. / Je peux étudier mieux à force de concentration.*

### Pour, par, sous prétexte que

**Pour** (no article) is used to show a reason. *Je te félicite pour ton bon résultat. / Tu seras puni pour ta bêtise. / Elle est très contente pour avoir publié son deuxième roman. / Il est en prison ce soir pour casse de la porte de son voisin.*

**Par** (no article) is used to show the sentimental cause of an action. *Elle se sacrifier complètement par amour. / Il s'est suicidé par haine de soi. / Fêter une victoire par solidarité.*

**Sous prétexte que/sous prétexte de** are used to indicate an invented/false cause. *Elle n'est pas venue à mon anniversaire sous* *prétexte qu'elle était malade. / Il ne touche pas la vaisselle **sous prétexte qu'**il n'est pas qualifié pour ça.*

**Sous prétexte de** (no article) *Elle n'est pas venue **sous prétexte d'**être malade. / **Sous prétexte de** sécurité, on n'a plus droit de sortir de chez soi le soir.*

**De** is used to show the cause of a physical effect. *Elle crie **de** joie / Je suis mort **de** fatigue. / Il est mort **de** rire. / Elle tremble **de** peur/plaisir. / Elle est verte **de** jalousie. / Je meurs **de** soif. / Il est rouge **de** colère.*

## Exercises
### A. à cause de, par manque de, faute de
1. Je suis en retard … … … bouchon.
2. Je suis stressé … … … manque de sommeil.
3. Elle est malade … … … la mauvaise nourriture.
4. Il est malade … … … bonne nourriture.
5. Elle s'ennuie … … … divertissement.
6. Elle ne se sent pas bien … … … l'insomnie.

### B. grâce à, à force de
1. J'ai réussi … … … toi.
2. Il fait très beau … … … beau temps.
3. J'ai plus d'énergie … … … dormir 8 heures par jour.
4. Méditation devient plus facile … … … entraînement.
5. On se sent mieux … … … la bonne nourriture.

### C. pour, par, sous prétexte que, prétexte que, de
1. Je meurs … faim.
2. … … … être un bon ami à moi, il m'a demandé de l'argent.
3. Danser … joie.
4. Il tremble … plaisir.
5. Tu seras récompensée … ton beau travail.

# PART FIVE, Day 45 – Cause: ce n'est pas que, d'autant plus que

### D'autant plus... que, d'autant moins... que, surtout que

**D'autant plus que** reinforces a cause positively: *Cet appareil est d'autant plus de bonne qualité qu'il est outil. / Elle est d'autant plus sympathique qu'elle est belle.*
**D'autant mieux que** reinforces "<u>bon</u>" and "<u>bien</u>":
*Il fait une démonstration d'autant mieux qu'est plus intéressante.*
*Le café fait à l'ancienne peut bien être d'autant meilleur que le café fait à la machine.*
**Surtout que** is the spoken version of <u>d'autant plus que</u>:
*Elle est toujours si belle. C'est incroyable. Surtout qu'elle a 67 ans cette année.*

**D'autant moins que** reinforces a cause negatively: *Cette tablette est d'autant moins facile à utiliser qu'elle est de mauvaise qualité. / Il est d'autant moins amical qu'il est moche.*

**Ce n'est pas que/Non que**+subjunctive, **mais**... (=literary) : one case rejected in favor of another.
**Ce n'est pas parce que**+simple tense, **mais** parce que... (=standard French)
*J'ai décidé de changer mon travail : ce n'est pas qu'il soit mal payé, mais il est trop répétitif.*
*J'ai décidé de changer mon travail : non qu'il soit mal payé, mais il est trop répétitif.*
*J'ai décidé de changer mon travail : ce n'est pas parce qu'il est mal payé, mais parce qu'il est trop répétitif.*

Repeat a cause as <u>a relative phrase</u>, **Si ... c'est que/Si ... c'est parce que**
*Si elle ne répond pas, <u>c'est qu</u>'elle est occupée. Elle va nous rappeler dans les plus brefs délais.*

*Si elle ne répond pas, **c'est parce qu'**elle est occupée.*
*S'il ne mange pas, **c'est qu'**il n'a pas faim.*
*S'il ne mange pas, **c'est parce qu'**il n'a pas faim.*

**Soit que/Que... soit que/que**+subjunctive (=literary)
**Soit parce que**+simple tense (=stardard French)
*Soit qu'elle **soit** triste **soit** qu'elle **soit** en colère, elle ne me parle toujours pas.*
***Qu'**elle **soit** triste ou **qu'**elle **soit** en colère, el le ne me parle toujours pas.*
***Soit parce qu'**elle est triste, **soit parce qu'**elle est en colère, elle ne me parle toujours pas.*

**Other phrases used for "cause"**
**The present parciple:**
***Sachant** mieux ce qui l'attend, il se sent moins vulnérable.*
***Ayant** traversé cette rue toute ma vie, je connais toutes les adresses par cœur.*
***Étant** dans un énorme embouteillage, j'appelle les gens qui m'attendent.*
***N'ayant** pas trouvé le livre exact, il a acheté un autre par le même auteur.*
**The past parciple** (gender agreement applies):
***Veçu** longtemps en France, il parle comme un Français. (=Ayant **veçu**...)*
***Menacée** et **insultée** sans raison, elle appelle la police. (=Étant **menacée** et **insultée**...)*
**The gerund** (happening at the same time):
***En parlant** trop fort, on a réveillé le bébé.*
***En** me **disant** la même chose, il s'est fâché contre moi.*
**Vu/Étant donné/Compte tenu de** (fixed phrases, no gender agreement, invariable):
***Vu** la tour Eiffel si près, je suis impressionné.*
***Étant donné** la grande variété des activités pendant nos vacances, on a qu'à s'amuser.*
***Compte tenu de** mauvais temps, on va rentrer tout de suite.*

**En raison de/Du fait de/Suite à**+noun with an article: *On est en retard **en raison du** gros embouteillage sur la N13.*

**Pour raison de**+noun without article: *On est en retard **pour raison de** gros embouteillage sur la N13.*

### Exercises
### A. Complete the sentences
1. J'aime ma grand-mère/elle m'aime. (d'autant plus... que) ... ... ... ... ... ... ... ... ... ... ... ... ... ... ... ... ... ... ... ... ... ... ... ... ... ... ... ... ... ... ... ... ... ... ... ... ... ... ... ... ... ... ...

2. Cet objet est joli/il est outil. (d'autant plus... que) ... ... ... ... ... ... ... ... ... ... ... ... ... ... ... ... ... ... ... ... ... ... ... ... ... ... ... ... ... ... ...

3. Cette boisson est de bon goût/elle est chère. (d'autant moins... que) ... ... ... ... ... ... ... ... ... ... ... ... ... ... ... ... ... ... ... ... ... ... ... ... ...

4. Ma nièce de 12 ans fait des dessins/je peux faire des dessins moi-même. (d'autant mieux que) ... ... ... ... ... ... ... ... ... ... ... ... ... ... ... ... ... ... ... ... ... ... ... ... ... ... ... ... ... ... ...

5. Merci maman ! J'aime bien ma nouvelle robe/elle a une texture très agréable à toucher. (surtout que) ... ... ... ... ... ... ... ... ... ... ... ... ... ... ... ... ... ... ... ... ... ... ... ... ... ... ... ... ... ... ...

### B. Fill in the gaps with the suggested verbs
1. **Ce n'est pas que** je ... ... ... ... malheureux, **mais** je veux changer mon métier quand même. (être)

2. Il dort : **ce n'est pas parce qu'**il ... ... ... ... paresseux **mais** parce qu'il est fatigué. (être)

3. Ne pleure pas mon enfant ! Ton frère part pour six mois : **non qu'**il ... ... ... ... définitivement **mais** il revient avant Noël. (partir)

4. Je pars : **ce n'est pas parce que** je ... ... ... ... pour toujours **mais** je reviens avant Noël. (partir)

5. Sa sœur pleure : **non qu'**elle ... ... ... ... que le voyage va lui plaire **mais** elle pense qu'il ne va pas revenir. (savoir)

6. Sa sœur pleure : **ce n'est pas parce qu'**elle ... ... ... ... que le voyage va lui plaire **mais** parce qu'elle pense qu'il ne va pas revenir. (savoir)

# PART FIVE, Day 46 – Goal: pour que, afin que

Phrases which express <u>goals</u> are always followed by the subjunctive.

**Pour que, afin que** express a <u>goal</u> to achieve.
*Ils reculèrent **pour que** tout le monde entre dans la cadre de l'image.*
*Je t'appelle **pour qu'**on discute un peu.*
*Je te laisse partir maintenant **pour que** tu sois à l'heure.*

*Reviens vite **afin que** nous mangions ensemble.*
(Husband) *Je te laisse seule quand tu prends ton bain **afin que** tu sois tranquille.* – (Wife) *Mais ça me dérange pas **que** tu sautes dans le bain avec moi.*

**De façon (à ce) que, de manière (à ce) que** express <u>how</u> a goal is approached.
*Posez des questions **de façon qu'**il puisse vous répondre.*
*Parlez l'un après l'autre **de manière à ce que** tout le monde puisse vous entendre.*
After the imperative verb (marchons, *va, reviens*), the above forms are implied (used in spoken French):
*Restez jusqu'à l'après-midi, **que** nous puisons déjeuner ensemble.*
*Parlez un peu plus lentement **afin que** je puisse vous comprendre.*

**De peur que, de crainte que** are used to <u>avoid</u> an undesired result.
A "<u>ne</u>" is often used not to confuse that the result is unwanted.
*Je n'ai pas répondu le téléphone **de peur** qu'il <u>n</u>'y aurait une mauvaise surprise.*
*Je suis rentré plus tôt **de crainte** qu'il <u>ne</u> pleuvrait.*

When two subjects are the same, use the infinitive verb:
*Je t'appelle **pour** discuter un peu avec toi.*
*Je l'écoute attentivement **afin de** pouvoir lui répondre.*
*Écoute-lui attentivement **de façon que à** pouvoir lui répondre.*

*Marchons un peu plus vite **de manière à** être à l'heure.*
*Je n'ai pas répondu le téléphone **de peur de** recevoir une mauvaise surprise.*

In informal French, **histoire de**+infinitive has the same meaning as **pour**.
*J'ai échangé quelques phrases avec lui, **histoire de** le connaître un peu mieux.* (=pour connaître)
**De sorte que** has two functions, one means <u>goal</u> and the other one means <u>effect</u> in consequence of a cause.
**Goal**+subjunctive / **Effect**+simple tense
*Je lui ai rappelé deux fois **de sorte qu**'il se <u>souvienne</u> du rendez-vous.* (=goal)
*Personne ne l'a rappelé **de sorte qu**'il <u>a</u> oublié complètement le rendez-vous.* (=effect)

## Exercices

**A. Follow the given example**
Mon fils ne m'écoute pas.
Il ne me parle pas.
Il ne me regarde pas.
Il ne s'arrêter pas jouer aux jeux vidéo.
Il utilise du mauvais langage.
Il crie tout le temps dans son sommeil.
Il se ferme dans sa chambre.
Il ne sort pas le week-end.
Il se rend malade.
Il est malheureux.
*– Comment faire pour que mon fils m'écoute, pour qu'il me parle* … … …
… … … … … … … … … … … … … … … … … … … … … … … … … … … … … … … … …
… … … … … … … … … … … … … … … … … … … … … … … … … … … … … … … … …
… … … … … … … … … … … … … … … … … … … … … … … … … … … … … … … … …
… … … … … … … … … … … … … … … … … … … … … … … … … … … … … … … … …
… … … … … … … … … …

**B. Convert these informal sentences into standard French**
*Regarde la liste une dernière fois, **histoire de** ne rien oublier. – Regarde la liste une dernière fois **pour que** rien ne soit oublié.*

1. Lis la phrase entière, **histoire de** bien comprendre. -… … … … … …
… … … … … … … … … … … … … … … … … … … … … … … … … … … … … … … … … … … …
… … … … … …

2. Je commence dès maintenant, **histoire de** tout être prêt à l'heure.
-… … … … … … … … … … … … … … … … … … … … … … … … … … … … … … … … … …
… … … … … …

3. (Grand-mère) Laisse les enfants à moi pour la journée, **histoire
d'**être utile. -… … … … … … … … … … … … … … … … … … … … … … … … … … …
… … … … … … … … … … … … … … … … … … … … … … … … … … … … … … … … … …
… … … … … … … … …

4. Marchons un peu plus vite, **histoire d'**être à l'heure.… … … … … … …
… … … … … … … … … … … … … … … … … … … … … … … … … … … … … … … … … …
… … … … … …

5. Écoute-lui attentivement, **histoire de** pourvoir lui répondre.… … …
… … … … … … … … … … … … … … … … … … … … … … … … … … … … … … … … … …
… … … … … …

# PART FIVE, Day 47 – End result: donc, alors, d'où, par conséquent

Phrases which express <u>end result</u> are followed by a simple tense.

**Donc** and **alors** are used to conclude logical results.
*La terre tourne autour du soleil.* ***Donc/alors*** *on a le jour et la nuit.*
*Tu n'as rien mangé toute la journée,* ***donc/alors*** *tu as faim.*
In a written text, **donc** is placed after a conjugated verb:
*Le projet va* ***donc*** *commencer dans quelques jours.*
It is also common to see **donc** used for:
- to confirm <u>an</u> information: *Vous avez* ***donc*** *vu cet homme avant ?*
- to return to a point in the conversation: ***Donc****, de quoi parlions-nous ?*

**C'est pourquoi, c'est la raison pour laquelle, c'est pour cela que** are used to emphasize on the cause.
*Cette machine a arrêté de fonctionner dès le premier jour,* ***c'est pourquoi/c'est pour cela que*** *je demande à la remplacer.*
*L'enjeu est très important,* ***c'est la raison pour laquelle*** *je vous écris cette lettre.*
***C'est pourquoi/c'est la raison pour laquelle*** *il a reçu des lettres anonymes.*

In spoken French, both **C'est pour ça** and **Ce qui fait que** are used to emphasize on the cause:
***C'est pour ça*** *que j'ai retourné la machine.*
*J'ai retourné la machine,* ***ce qui fait qu'****elle a arrêté de fonctionner dès le premier jour.*

**Du coup** (spoken) expresses an unexpected result.
*Ma grand-mère ne répond pas au téléphone depuis hier.* ***Du coup*** *on est allé la voir.*
*Il fait un très beau temps cette après-midi après le mauvais temps ce matin.* ***Du coup*** *on est parti pour un pique-nique dans le parc.*

**D'où**+noun, technical or spoken, expresses a cause.

*Il y a des travaux dans la rue, **d'où** le bruit.*

*Tu n'as pas fermé l'œil depuis hier, **d'où** la lassitude.*

**Par conséquent/en conséquence, si bien que, aussi/ainsi** are written forms expressing a cause.

*Il y a une panne technique sur les rails, **par conséquent/en conséquence** les trains ont plus d'une heure de retard.*

*Les trains ont plus d'une heure de retard **si bien qu'**il y a une panne technique sur les rails.*

*Il y a une panne technique sur les rails. **Aussi** devons-nous attendre une heure. / **Aussi**, nous devons attendre une heure.* (the subject-verb order is reversed after **aussi** without coma)

### Exercises

**A. Rewrite the sentences** (as the given example) **using; C'est pourquoi, aussi, donc, alors**

Boire du lait me rend malade, … … … . (Je ne bois pas de lait.)

*Boire du lait me rend malade, **c'est pourquoi** je ne bois pas de lait.*

*Boire du lait me rend malade, **donc** je ne bois pas de lait.*

*Boire du lait me rend malade, **alors** je ne bois pas de lait.*

*Boire du lait me rend malade, **aussi** ne bois-je pas de lait.*

*Boire du lait me rend malade, **aussi**, je ne bois pas de lait.*

1. Je travaille mieux le matin, … … … . (Je me lève à 6 heures du matin.) … … … … … … … … … … … … … … … … … … … … … … … … … … … … …

… … … … … … … … … … … … … … … … … … … … … … … … … … … … … … … … …

… … … … … … … … … … … … … … … … … … … … … … … … … … … … … … … … …

… … … … … … … … … … … … … … … … … … … … … … … … … … … … … … … … …

… … … … … … … … … … … … … … … … … … … … … … … … … … … … … … … … …

… … … … … … … … … … … … … …

2. Albertine est Française : elle veut être au moins bilingue, … … … . (Elle apprend l'espagnol.)

… … … … … … … … … … … … … … … … … … … … … … … … … … … … … … … … …

… … … … … … … … … … … … … … … … … … … … … … … … … … … … … … … … …

… … … … … … … … … … … … … … … … … … … … … … … … … … … … … … … … …

… … … … … … … … … … … … … … … … … … … … … … … … … … … … … … … … …

… … … … … … … … … … … … … … … … … … … … … … … … … … … … … … … … …

… … … … … … … … … … … … … … … … … … … … … … … … … … … … … … … … …

… … … … … … … … … … … … … …

3. Ma mère est malade depuis hier soir, ... ... ... . (J'appelle chez mes parents.)

......................................................................................
......................................................................................
......................................................................................
......................................................................................
......................................................................................
......................................................................................
.........................................

**B. Use; alors, donc, c'est pourquoi, c'est la raison pour laquelle, d'où,** to complete the sentences.

*Ma voisine boit trop du lait, **d'où** la maladie.*

1. 65% d'un corps d'adulte est composé d'eau, .............................
................................. (Plus de la moitié de vous est de l'eau.)

2. Les températures à la surface du globe haussent, .........................
................................. (La fonte de la neige et de la glace augmente.)

3. Ma grand-mère ne répond pas au téléphone, .............................
................................................................ (l'inquiétude.)

4. Ma grand-mère ne répond pas au téléphone, .............................
................................................. (on va aller la voir.)

# PART FIVE, Day 48 – End result: si, tellement, tant, tel

**T**he intensity of an end result

**Si/tellement**... **que** are used with an adjective or an adverb.
*Le paysage est **si** beau **que** tout le monde s'arrête de prendre des photos.*
*C'est **tellement** impressionnant **qu'**on ne trouve pas des mots pour le décrire.*
Used with "avoir peur/mal/sommeil/chaud/froid/faim/soif":
*J'ai **si/tellement** faim **que** je pourrais manger un arbre !*
*Il a **si/tellement** froid **qu'**il tremble !*
*Je suis **si** choqué **que**...* ~~Cela m'a si choqué que~~ ("*si*" is not possible when the past participle is used as verb)

**Tellement**... **que/Tant**... **que**, when used with a verb, are placed before the past participle and after a simple tense.
*Il a **tant** parlé **qu'**il a perdu la voix.*
*Il aime **tellement** son frère **qu'**il ferait tout pour lui.*
*Cela m'a **tant** choqué **que**...* ~~Je suis tant choqué que~~ ("*tant*" is not possible when the past participle is used as adjective)
Used with "avoir besoin/envie":
*J'ai **tellement/tant** besoin d'un café pour pourvoir continuer le travail.*
*J'ai **tant/tellement** envie de manger une lasagne aux cinq fromages dans un bon restaurant italien.*
**Tellement de/Tant de** are used with a noun:
*Il y a **tellement de/tant de** neige.*
*Il y a **tellement de** choses à manger **qu'**on a plus de faim.*
*Dans un supermarché, il y a **tellement de** choix de produits.*

**un tel/une telle/de tels/de telles**+noun **que** ...
*Il y a **un tel** choix **que** ...*
*Il y a **une telle** surprise **que** ...*
*Il y a **de tels** produits **que** ...*

But:

*Il y a une si <u>incroyable</u> surprise que* ... (use "**si**" when there is an adjective before noun, not ~~une telle incroyable surprise~~)

noun+**tel/telle/tels/telles que** ...

*Il y a un choix **tel que*** ...

*Il y a une surprise **telle que*** ...

*Il y a des produits **tels que*** ...

adjective+**à**+infinitive:

*Une histoire romantique **à** fondre le cœur – Elle m'a raconté une histoire romantique **à** fondre le cœur.*

## Exercises

**A. Use the appropriate words; si/tant/tellement... que, tant/tellement de**

1. C'est ............................................ loin/on ne peut pas aller à pied.

2. On est ........................................ bien ici/on n'a pas envie de partir.

3. Il a ........................................ joué/il est maintenant fatigué.

4. Elle a ........................................ honte/elle devient rouge.

5. Tu m'as ........................................ surprise/je ne crois toujours pas que ça s'est vraiment passé.

6. J'ai ........................................ soif/je pourrais boire une rivière.

7. Elle a ........................................ travaillé/elle est complètement épuisée.

8. C'est ........................................ bon/j'ai toujours faim.

9. À l'époque entendre des langues étrangères me surprenait ............... ........................................ mais qui n'est plus le cas.

10. C'est ........................ différent de tout ce que j'ai vu auparavant.

11. J'ai ........................................ envie de boire un bon thé.

12. Je ne peux pas vivre sans toi : j'ai ........................ besoin de toi.

13. Il y a ........................................ abonnés à ce programme.

14. ........................ gens veulent sortir de leurs habitudes mondaines.

**B. un tel/une telle/de tels/de telles... que, tel/telle/tels/telles que ..., à**

1. une offre/ne pas se refuser (une telle+noun) ........................ ........................................ ...............

2. une surprise/tout le monde reste silencieux. (Il y a... noun+telle

que)… … … … … … … … … … … … … … … … … … … … … … … … … … … … … …
… … … … … …

3. une beauté/couper le souffle (Elle est… noun+à+infinitive) … … …
… … … … … … … … … … … … … … … … … … … … … … … … … … … … … …
… … … … … …

# PART FIVE, Day 49 – End result: trop/assez... pour que, sans que

The subjunctive is always used after <u>pour que</u>, and when the end result is <u>unachievable</u>.

**Trop, assez ... pour que**, used when the quantity is too much or too little to get a result.

*Il fait **trop** chaud **pour que** je porte ce manteau.*

*Reviens **assez** tôt **pour que** nous jouions au foot.*

*L'enfant est **trop** malheureux **pour que** son père ait quitté sa mère.*

*Je n'ai pas **assez** d'argent pour te donner **pour que** tu puisses t'acheter une voiture neuve.*

When the two subject are the same, the infinitive verb is used:

*Nous sommes **assez** nombreux **pour** <u>jouer</u> au foot.*

*Elle est **trop** qualifié **pour** <u>prendre</u> ce poste.*

*Je n'ai pas **assez** d'argent **pour** m'acheter une voiture neuve.*

### Sans que

*Je ne peux finir ce travail avant midi **sans qu'**on me donne un coup de main.*

*Il ne se passe rien **sans que** tu fasses quelque chose.*

*Je ne dirais rien **sans qu'**on me demande.*

When the two subject are the same, the infinitive verb is used:

*Je ne peux pas courir deux heures sans arrêt **sans** m'entraîner un peu avant.*

*Tu ne peux pas envoyer une lettre par la poste **sans** acheter un timbre.*

The "ne" explicit is used after <u>sans que</u> only when the main verb is negative:

*Tu comprends **sans que** je t'explique ?*

*Je <u>ne</u> comprendrai <u>pas</u> **sans que** tu <u>ne</u> m'expliques.*

The subjunctive is always used after **pour que**:

*Il y a des bonnes raisons **pour que** nous <u>puissions</u> fêter ça.*

*Je travaille suffisamment vite **pour que** ce document <u>soit</u> terminé* *aujourd'hui avant 16 heures.*

**Exercises**

**A. Reformulate the sentences with <u>pour que</u>.**

*Je ne révélerai pas le secret. / Tu me dis pourquoi. – Je ne révélerai pas le secret **pour que** tu ne me dises pas pourquoi.*

1. Il y a trop de monde. / On est tranquille. … … … … … … … … … … … … … … … … … … … … … … … … … … … … … … … … … … … … … … … … … … … … … … … …

2. J'ai assez d'argent. / Nous pouvons manger dans un bon restaurant. … … … … … … … … … … … … … … … … … … … … … … … … … … … … … … … … … … … … … … … … … … … … … … …

3. On a assez d'argent. / On peut manger dans un bon restaurant. … … … … … … … … … … … … … … … … … … … … … … … … … … … … … … … … … … … … … … … …

4. Tu me donnes assez de détails. / Je peux trouver les bons produits. … … … … … … … … … … … … … … … … … … … … … … … … … … … … … … … … … … … … … … … …

5. Tu ne peux pas entrer. / Tu dois frapper. … … … … … … … … … … … … … … … … … … … … … … … … … … … … … … … … … … … … … … … … …

**B. Use "trop" and "sans" to reformulate the sentences**

1. Je suis trop fatigué. / Je ne peux pas continuer travailler. … … … … … … … … … … … … … … … … … … … … … … … … … … … … … … … … … … … … … … …

2. Tu dois marcher plus vite. / Tu ne rateras pas le bus. … … … … … … … … … … … … … … … … … … … … … … … … … … … … … … … … … … …

3. Il est parti. / Il n'a pas dit un mot. … … … … … … … … … … … … … … … … … … … … … … … … … … … … … … … … … … … … … … …

4. Il regarde le dessin. / Il ne comprend pas le message. … … … … … … … … … … … … … … … … … … … … … … … … … … … … … … … … … …

5. Je vais me promener un peu. / Je fais digérer le bon repas que je viens de manger. … … … … … … … … … … … … … … … … … … … … … … … … … … … … … … … … … … … … … … … … … … … … … … … … … …

**C. Use "pour que" to reformulate the sentences**

1. Tu me dis ce que c'est. / Je vois plus clairement la raison. … … … … … … … … … … … … … … … … … … … … … … … … … … … … … … … … … … … …

2. Je vais faire les courses ce vendredi. / Nous pouvons être tranquilles ce week-end. ..................................................
.......................................................................................................................
............................

3. Bouge un peu. / Je peux passer. .........................................
.......................................................................................................................
..............

4. Parle moins fort. / On ne doit déranger personne. ...................
.......................................................................................................................
...........

5. Je t'attends. / Nous pouvons manger ensemble. .......................
.......................................................................................................................
...........

# - PART SIX -

## OPPOSITION and CONCESSION

# PART SIX, Day 50 – Opposition and Concession: mais, par contre

Opposition

**Mais, tandis que, par contre, à l'inverse de, à l'opposé de, contrairement à** present two realities.

*Il a des cheveux courts, **mais** sa sœur a des cheveux longs.*

*Il est grand, **tandis que** sa sœur est petite.*

*Il est ennuyant, **par contre** sa sœur est joyeuse.*

*Il est ennuyant, **à l'inverse de/à l'opposé de/contrairement à** sa sœur.*

**Au contraire, en revanche**, reinforcing the opposition:

*J'aime la campagne. Mes enfants, **en revanche**, ils préfèrent la ville.* (literary)

*Je bois beaucoup de café. Ma sœur, **au contraire**, elle déteste le café.* (standard)

**Autant... autant**, when two oppositions have equal intensity:

*Autant j'ai mal à dormir, **autant** ma sœur a mal à se réveiller.*

*Autant il fait froid en hiver, **autant** il fait chaud en été.*

Concession

**Mais, alors que, pourtant, cependant, toutefois, néanmoins** put a restriction or present an unexpected result/statement.

*Il est pauvre, **mais** il se dit heureux.*

*Il est seul, **alors qu'**il est content.*

*Il voyage dans beaucoup de pays, **cependant** il ne pale que le français.*

*Il travaille beaucoup, **néanmoins** il produit peu de résultats.* (literary)

**Quand même, tout de même** are placed after a conjugated verb.

*Il n'est pas ma personne préférée, il est **quand même/tout de même** mon frère.*

*Tu étais occupé, d'accord : tu pourrais **quand même/tout de même** nous appeler.*

**Malgré, en dépit des**+noun

*Son travail ne progresse pas, **malgré** ses efforts.*

*Son travail ne progresse pas, **en dépit de** ses efforts.*

*Nous n'avons toujours pas trouvé ce que nous cherchons, **en dépit des** recherches engagées.*

**Bien que/quoique/sans que/encore que**+the subjunctive (literary)

*__Bien qu__'il fasse des efforts, son travail ne progresse peu.*

*__Quoiqu__'on soit plus en plus riche matériellement, on est moins en moins indépendant.*

*__Sans qu__'il prononce un mot, elle le comprend.*

*__Encore qu__'on soit en hiver, il pleut.*

When there is only one subject, the concession can be contracted to the adjective:

*On est moins en moins indépendant **quoique** riche matériellement.*

*Il fait froid **bien que** ensoleillé.*

In spoken French, we may hear **quoique, encore que** ending a statement, meaning "but you never know".

*Il est paresseux. **Quoique**...*

*Il y a peu de chances que cela arrive. **Encore que**...*

In written French, **bien que** and **quoique** followed by a present participle is possible:

*__Bien qu__'étant en hiver, il fait chaud.*

*__Quoique__ suivant les instructions exactement, la machine ne fonctionne toujours pas.*

**Sans que** is used for negative concessions. Use **sans que**+infinitive when the same subject repeated.

*Elle a compris **sans qu'**il lui dise un mot.*

*Elle a senti sa présence **sans** l'entendre.*

**Quoi qu'il en soit** (=anyway, no matter what): *__Quoi qu'il en soit__, on se retrouve ce soir.*


**Où/qui/quoi/quel que**+subjunctive

*__Où que__ je sois, __qui que__ je rencontre, __quoi que__ je fasse, __quel que__ soit le jour, __quelle que__ soit la semaine, j'attends toujours ton appel.*

**N'importe où, n'importe quoi, n'importe quand** follow a verb:

*Voyager **n'importe où**, faire **n'importe quoi**, venir **n'importe quand***


**Exercises**

**A. Choose among; mais, tandis que, par contre, à l'inverse de, à l'opposé de, contrairement à, au contraire, en revanche, autant...**

**autant,** for opposition

1. En hiver il fait froid, ……………………………………… en été il fait chaud.

2. L'été est chaud, ………………………………… l'hiver.

3. Mes enfants préfèrent la ville, …………………………………… la campagne.

4. Ici c'est calme, …………………………………… là-bas c'est bruyant.

5. J'aime cette ville. Ma sœur, …………………………………, elle veut vivre surtout ailleurs. (standard)

6. « Vous ne savez pas combien vous êtes bon, ………………………… ………, je sais combien vous l'êtes peu. » (literary)

**B. Choose among; quand même/tout de même, bien/quoique/sans/encore que, quoique, néanmoins, malgré, en dépit de, alors que, cependant** pour concession

1. Elle cherche l'amour, …………………………………… elle est déjà mariée.

2. Il sourit beaucoup, ……………………………… il parle peu.

3. Il a beaucoup d'espoir pour une vie à venir, ………………………… ………………… il a peu d'espoir pour la vie actuelle. (literary)

4. J'ai peu d'argent, je suis ……………………………… parti en voyage.

5. J'ai bien dormi, …………………… le bruit/ ……………………………. bruit.

6. …………………………………… j'ai peu d'argent, je suis parti en voyage.

7. Il n'est bon pour rien ……………………………………………… (spoken)

# PART SIX, Day 51 – Opposition and Concession: quitte à, or, avoir beau

**Quitte à**+infinitive means "<u>even with such an extreme condition</u>"
*Mon grand-père apprend l'italien, **quitte à** avoir 90 ans.*
*Oscar Pistorius a gagné la médaille de bronze dans le sprint, **quitte à** être les deux jambes amputées sous les genoux.*
*Rester jusqu'au bout avec les amis, **quitte à** crever tous ensemble.* (-Zola, in *Germinal*)

**Or** meaning <u>but/however</u>.
*Elle dit qu'elle veut être ma femme. **Or**, je suis déjà marié.*
*Les deux jambes à Oscar Pistorius sont amputées sous les genoux. **Or**, il a gagné la médaille de bronze dans le sprint aux championnats du monde.*

**Avoir beau**+infinitive means <u>an effort without success</u>, in vain
*J'**ai beau** la convaincre de rester, elle est partie.*
*J'ai **eu beau** la convaincre de rester, elle était partie.*
*Il **a beau** essayer de réparer la machine, cela ne fonctionnera pas.*

**Même si, si** (=even if, even though)
*Si tu pries toute la journée, le mort ne reviendra pas.*
*Même si je porte trois chemises et un manteau, j'ai toujours froid.*

**Si/Quelque**+adjective+**que**+subjunctive = even if/even though
*Si petit **qu'il soit**, il est le plus fort parmi ses amis.*
*Quelque ensoleillé **qu'il soit**, j'ai toujours froid.*
**Tout**+adjective+**que**+subjunctive or infinitive = even if/even though
*Tout ensoleillé **qu'il soit/est**, j'ai toujours froid.*

**Mais**, spoken French, reinforces a statement or a surprise.
*Mais bien sûr que je suis d'accord.*
*Mais oui, tu peux venir à tout moment.*
*Mais, qu'est-ce que ce truc !?*

| | |
|---|---|
| **Il n'en demeure pas moins que** | to stress or |
| **il n'empêche que** | highlight |

**Toujours est-il que**   an unexpected
**Il reste que**   but true result

*Oscar Pistorius est handicapé avec les deux jambes.*
*Il n'en demeure pas moins qu'il a gagné la médaille.*
*Il n'empêche qu'il a gagné la médaille.*
*Toujours est-il qu'il a gagné la médaille.*
*Il reste qu'il a gagné la médaille.*
*N'empêche qu'il a gagné la médaille.* (spoken French)

**Exercises**
**A. Continue with <u>quitte à</u>+infinitive**
1. J'ai décidé de faire le tour du monde. (J'ai mille euros.) … … … … … …
… … … … … … … … … … … … … … … … … … … … … … … … … … … … … … … …
… … … … …

2. Il veut escalader le Mont Everest. (Il n'a jamais vu une vraie
montagne dans sa vie.) … … … … … … … … … … … … … … … … … … … …
… … … … … … … … … … … … … … … … … … … … … … … … … … … … … …
… … … …

3. Elle veut lire 200 livres au cours de l'année prochaine. (Elle n'a
jamais lu un livre entier dans sa vie.) … … … … … … … … … … … … … …
… … … … … … … … … … … … … … … … … … … … … … … … … … … … … …
… … … … … … … … …

4. Il a toujours faim. (Il vient de manger un poulet entier.) … … … … …
… … … … … … … … … … … … … … … … … … … … … … … … … … … … … …
… … … … … … …

5. Ils se disent de vouloir divorcer. (Ils se sont mariés il y a tout
juste trois jours.) … … … … … … … … … … … … … … … … … … … … … …
… … … … … … … … … … … … … … … … … … … … … … … … … … … … … …
… … … … … … …

**B. Continue with <u>avoir beau</u>+infinitive**
1. Il parle, mais personne ne l'écoute. … … … … … … … … … … … … … …
… … … … … … … … … … … … … … … … … … … … … … … … … … … … … …
… … … … …

2. Il feint d'être endormi, mais on sait qu'il est réveillé. … … … … … …
… … … … … … … … … … … … … … … … … … … … … … … … … … … … … …
… … … …

3. Tu peux demander mille fois, mais personne ne va te le donner. …
… … … … … … … … … … … … … … … … … … … … … … … … … … … … … …
… … … … … …

4. Il se peut d'avoir des beaux programmes à la télé ce soir, mais je
n'ai pas le temps à les regarder. … … … … … … … … … … … … … … … …

… … … … … … … … … … … … … … … … … … … … … … … … … … … … … … … … … … … … … … … …
… … … … … … … … …

5. (The train leaves at 10 am, it's now 10:02 am) Tu peux courir, mais tu ne rattraperas pas ton train. … … … … … … … … … … … … … … … … … … …
… … … … … … … … … … … … … … … … … … … … … … … … … … … … … … … … … … … … … …
… … … … … … … … …

**C. Choose the right word/phrase; "Il n'en demeure pas moins que/Il n'empêche que/Toujours est-il que/Il reste que", "quelque+adjective+que+subjunctive", "or", "mais", to fill in the gaps**

1. Je peux porter ton manteau. … … … … … … … … … … … … oui ! (spoken French)

2. Physiquement il est petit. … … … … … … … … … … … … … …. il est le plus rapide.

3. … … … … … … … … … … … … … … … … … … … … … … … .. froid il fait, je n'ai pas froid.

4. Il veut aller en train. … … … … … … … … … … … … … … … … le dernier train du jour est parti il y a 10 minutes.

# - PART SEVEN -

## EXPLICATION

# PART SEVEN, Day 52 – Explication: en fait, du moins, d'ailleurs

**En effet, En fait, Au fait**

**En effet** confirms a statement (=indeed).

*Il a dit qu'il viendrait et **en effet** il est venu.*

*Il se dit difficile à voyager dans un pays sans connaître la langue et **en effet** je le confirme.*

**En fait** corrects a statement.

*On a dit qu'il est un homme mauvais mais **en fait** il est sympa.*

*Le lait est bon pour la santé, est-ce que c'est vrai ? – **En fait** pour eux qui ont plus de 23 ans, le lait nous rend malade.*

**Au fait**, spoken usage, unifies ideas about a subject.

*J'étais à Paris la semaine dernière. – **Au fait**, as-tu promené sur les Champs Élysées ?*

*J'étais au téléphone avec ton frère tout à l'heure. – **Au fait**, il sera là avec nous pour le dîner ?*

**Du moins, au moins, à moins de**

**Du moins** puts a restriction on the said idea (=at least)

*Elle est une belle femme, **du moins** elle porte de beaux habits.*

*Son invention est géniale, **du moins** en théorie.*

**Au moins** means <u>no less than</u>, at least but could be more

*On est **au moins** quinze à jouer.*

*Votre mot de passe doit contenir **au moins** un caractère majuscule.*

**Sinon**..., **du moins** means if not this, at least that:

*Voyager avec Simon, **sinon** bavard, **du moins** il est de bonne compagnie.*

*Il a perdu, **sinon** toute, **du moins** une partie de son enfance.*

**À moins de** means <u>unless</u>.

*Vous ne pouvez pas voir le malade, **à moins d'**être un membre de sa famille.*

*À moins d'avoir un ticket, on ne peut pas entrer dans une salle de cinéma.*

**D'ailleurs, par ailleurs**

**D'ailleurs** <u>justifies</u> a statement.

*Son français est parfait. **D'ailleurs**, il a été prof de français pendant dix ans.*

*Elle chante bien. **D'ailleurs**, elle a gagné nombreux prix pour ses chansons.*

**Par ailleurs** <u>adds to the statement</u> (=furthermore)

*Son français est parfait. **Par ailleurs**, il vit en France en permanence.*

*Elle chante bien. **Par ailleurs**, elle sera en tournées dans les mois qui viennent.*

**D'ailleurs** also means <u>au fait</u> (as in the spoken usage) to unify ideas about a subject.

*Je lis un très bon livre en ce moment. **D'ailleurs**, je peux te le prêter quand je l'aurai fini.*

**Exercises**

**A. Use; en effet, en fait, au fait,** to complete sentences.

1. On m'a dit qu'on apprend le français plus rapidement en France et ... ... ... ... ... c'est vrai.

2. Cette dame là-bas, en robe blanche, c'est la femme de qui ? – ... ... ... ... ..., elle n'est pas mariée. Elle s'appelle Marie.

3. J'ai parlé avec Charles hier. – ... ... ... ... ..., comment va sa fille qui est malade ?

4. Est-ce qu'il fait froid en hiver dans les montagnes ? – ... ... ... ... ... il fait très froid en hiver.

5. Tu devais avoir faim, non ? – ... ... ... ... ... je viens de manger. Je prendrai un verre d'eau.

**B. Use; du moins, au moins, à moins de,** to complete sentences.

1. Je suis épuisé. J'ai parcouru ... ... ... ... ... dix kilomètres.

2. Si vous ne mangez pas, buvez quelque chose, ... ... ... ... ... un thé ou un café.

3. Nous avons combien d'invités pour ce soir ? – ... ... ... ... ... dix.

4. ... ... ... ... ... avoir reçu une invitation, vous ne pouvez pas

assister à cette soirée privée.

5. … … … … … … belle, … … … … … … elle est élégante.

**C. Use; d'ailleurs, par ailleurs,** to complete sentences.

1. Il parle cinq langues couramment. … … … … … …, son père était diplomate quand il est né et sa famille voyageait partout dans le monte.

2. Elle fait du piano super bien. … … … … … …, elle n'a que 9 ans. 3. Ils sont des gens heureux. … … … … … …, on entend souvent des rires chez eux.

# - PART EIGHT -

## COMPARATIVE

# PART EIGHT, Day 53 – Comparative: plus, le plus grand, autant

### Comparatives

**Plus, aussi** and **moins**+adjective or adverbe+**que** compare quality

|         | *plus*  |                   |
|---------|---------|-------------------|
| *Il est*| *aussi* | *grand qu'elle.*  |
|         | *moins* |                   |

*Le manteau gri est **aussi** cher que le manteau noir.*

In questions and negative sentences, **aussi** is replaced by **si**.

*Ceci n'est pas **si** cher **que** cela.*

*Est-ce que ceci est **si** cher **que** cela ?*

A neutral pronoun may often convey the same meaning:

*J'entends qu'Emma est si belle. Est-ce qu'elle est **aussi belle qu'**on **le** dit ?*

The optional explicit "ne" with plus and moins+adjective:

*Elle est plus/moins belle qu'on (**ne**) le dit.*

**Plus, autant** and **moins**+noun+**de** compare quantity

|        | *plus d'*    |                  |
|--------|--------------|------------------|
| *Il a* | *autant d'*  | *amis qu'elle.*  |
|        | *moins d'*   |                  |

*Mon amie a **autant d'âge que** moi.*

In questions and negative sentences, **autant de** is replaced by **tant de**.

*Mon amie n'a pas **tant d'âge que** moi.*

*A-t-elle **tant d'âge que** toi ?*

A neutral pronoun may often convey the same meaning:

*Est-ce qu'il connaît **autant de chansons qu'**il **le** dit ?*

The optional explicit "ne" with plus de and moins de+noun:

*Elle a plus d'/moins d' amis qu'on (**ne**) le croit.*

**De**+noun is repeated: *Il y a autant **d'**hommes que **de** femmes dans ce parc.*

**De** comes before the comparative phrase: *Je cherche quelque chose **de** plus dur et **de** moins grand.*

With numbers, **de** comes before <u>plus/moins</u>, <u>deux</u> cafés <u>de</u> plus, <u>trois</u> choses <u>de</u> moins:

*On a des nouveaux amis qui arrivent... <u>cinq</u> cafés <u>de</u> plus, s'il vous plaît !*

**Superlatives**
**Le, la, les**+adjective+**de** (partative, *de la, du, des*)+comparison word/phrase

*Elle est **la plus** belle **du** village.*
*Il est **le moins** grand **des** hommes.*

The superlative articles (le, la, les) are repeated <u>after a noun</u>:
*Elle est **la fille la plus belle** du village.*
*Il est **l'homme le moins grand** (des hommes).*

Adjective: **bon, meilleur, le meilleur** (=good, better, the best) or **mauvais, pire, le pire**
(bonne, meilleure, la meilleure/mauvaise, pire, la pire)
*Un vin alsacien est **bon**.*
*Un Bordeau est **meilleur** qu'un Alsacien.*
*Le champagne est **le meilleur**.*

Adverb: **bien, mieux, le mieux** (well, better, the best) or **mal, plus mal, le plus mal**
*Isaac fait **bien** la guitare.*
*Virginie fait **mieux** la guitare qu'Isaac.*
*Bob Dylan joue **le mieux** la guitare.*
*Je fais **plus mal** la guitare que ces trois.*

Le plus petit v. le moindre
*C'est l'ordinateur <u>le plus petit</u> que j'ai jamais vu.* (physical size)
*Je n'ai pas <u>le moindre</u> doute sur lui.* (abstract idea)

**Exercises**
**A. Use; aussi/moins/plus... que,** add "<u>le</u>" and "<u>ne</u>" where possible,

**to complete the sentences**

Ceci coûte 10 euros. Cela coûte 5 euros. – *Ceci ne coûte pas **si** cher **que** cela.*

1. Tout à 10 euros. Ceci coûte … … … … … … … … … cher … … … cela.

2. C'est un produit d'occasion. Est-ce que cela coûte … … … … … … cher … … … les autres ? – Non. Cela coûte … … … … … … … cher… … … … les autres.

3. Ce ne coûte pas … … … … … cher … … … … les autres.

4. Cela coûte … … … … … … … cher … … … on peut … … … … lire.

5. Ceci coûte … … … … … … … cher qu'on … … … … l'a écrit.

**B. Use; plus de/autant de/moins de… que,** add "<u>le</u>" and "<u>ne</u>" where possible, **to complete the sentences**

Il a 25 ans. Elle a 25 ans. – *Il a **autant d'âge qu'**elle.*

*(Il a 25 ans. Elle a 25 ans. Leur frère a 23 ans. Leur sœur a 19 ans.)*

1. 1. Il a … … … … … … … âge … … … … son frère.

2. Est-ce qu'il a … … … … … … … âge … … … … sa sœur aînée ?

3. Il a l'air plus jeune que son âge. Il a … … … … … … … âge … … … on … … pense.

4. Sa sœur aussi a l'air plus jeune que son âge. Elle a … … … … … … … âge … … on … … … … … … pense.

5. Le frère cadet, n'a pas … … … … … … … âge … … … … son frère aîné.

**C. Choose among; bon, bien, meilleur, mieux, le meilleur, le mieux, mauvais, mal, pire, plus mal, le pire, le plus mal,** to **complete the sentences. Follow the example given if needed.**

*Elle est **la meilleure** parmi nous tous. / Il est **le pire**.*

1. L'Everest est la montagne … … … … … … … haute … … … monde.

2. L'homme est l'animal … … … … … … … intelligent.

3. Lui, il est bon. Il est … … … … … … … que moi.

4. Selon vous, qui chante … … … … … … … , Taylor Swift ou Rihanna ?

5. Mon amie, elle, elle pense que c'est Adele qui chante … … … … … … … . Elle est, selon mon amie, … … … … … … … chanteuse … … … monde.

# PART EIGHT, Day 54 – Comparative: comme, de plus en plus

## SIMILARITY

**Comme/aussi bien... que/(au)tant... que** are used to show the same degree of similarities.

*Mon téléphone portable est **comme** le tien.*

*Certains endroits de la banlieue sont calmes **comme** la campagne.*

*Ce jeu est assez amusant **aussi bien** pour les grands **que** pour les petits.*

*Ce produit coûte **autant** pour vous **que** pour les autres.*

**Ainsi que, de même que** (<u>litrary</u> forms of "comme")

*J'ai invité mes amis **ainsi que** mes voisins.*

*Tous les billets pour le concert de ce samedi **de même que** le samedi d'après sont déjà vendus.*


**Comme si**+imperfect or pluperfect (=comparison+hypothesis)

*On a continué **comme si** rien ne se passait.*

*Il est choqué **comme si** j'avais dit quelque chose de choquant.*


**Le même/la même/les mêmes**+noun+que is used for "silimirities" in identity.

*Emma a **le même** visage **que** sa mère et **la même** couleur des yeux **que** son père.*

*Les enfants ont **les mêmes** yeux **que** leurs parents.*


**Tel/telle que** and **tel/telle/tels**+noun, **tel/telle/tels**+noun (=as, like)

*Je vous aimes **tels que** vous êtes.*

*Ma petite sœur est belle **telle que** ma sœur aînée.*

***Tel** travail, **tel** résultat.*

***Telle** mère, **telle** fille.*

***Telle** qualité, **tel** prix.*


## PROGRESS

**De plus en plus, de moins en moins, de mieux en mieux, de mal**

**en pis**, etc, are used to show progress/decline.

*Chaque été il fait **de plus en plus** chaud.*

*Avec le temps, il parle le français **de mieux en mieux**.*

*La chaleur devient **de pire en pire**.*

*Si tu ne fais pas quelque chose, ça va **de mal en pis**.*

**Plus... plus, moins... moins, plus... moins**, etc, are used for parallel progress/decline.

***Plus** je l'aime, **moins** elle m'aime.*

***Plus** j'achète des choses, **plus** j'ai besoin des choses.*

***Plus** elle devient riches, **plus** elle aime l'argent.*

***Moins** je dors, **plus** je me sens fatigué.*

### Exercises

**A. Use; comme/aussi bien... que, (au)tant... que, ainsi que, de même que**

*Elle est **comme** sa mère.*

1. Il est … … … … … … … son père.
2. Le bébé dort … … … … … … … … le jour … … … … la nuit.
3. Mes amis me manquent … … … … … … ma famille.
4. Ses amis lui manquèrent … … … … … … sa famille.
5. Il travailla tôt le lundi matin … … … … … … le dimanche matin. Puis, il dormit toute l'après-midi.

**B. Use; Le même/la même/les mêmes (... que), tel/telle que, comme si**, to complete the sentences.

***Tel** couple, **telle** famille !*

1. Il a mangé le plat … … … … … … cela avait été le plat le plus délicieux du monde.
2. Il avance … … … … … … il ne voyait rien.
3. J'ai … … … … … … couleur de cheveux … ma mère.
4. … … … … … … mère, … … … … … filles.
5. Venez … … … … … … vous êtes.
5. Elle m'a regardé … … … … … … j'avais dit quelque chose incroyable.

**C. de pire en pire, plus... plus, de mal en pis, de plus en plus, de moins en moins**

Choose one of the above phrases of progress to fill in the gaps.

*Plus* tu m'encourage, *plus* j'ai du mal à avancer.

1. Il y a … … … … … … de magasins physiques et … … … … … … de magasins en ligne.

2. Si tu ne fais rien, la situation va devenir … … … … … … … … …

3. Parfois j'ai l'impression que la qualité de vie va … … … … … … … … …

4. Ça va mieux. La situation est … … … … … … … … … grave.

5. … … … … elle passe du temps avec moi, … … … … … … … je l'aime.

# - PART NINE -

## PREPOSITION

# PART NINE, Day 55 – Preposition: de/à

|   | avoir+ | noun+ (<u>no</u> article) | **de**+ | infinitive |
|---|---|---|---|---|
|   |   |   |   |   |
| Elle | a | besoin envie peur horreur | **de** | parler. |

Exception:
*Elle a <u>tendance/intérêt</u> **à** parler.*

|   | avoir+ | noun+ (<u>with</u> article) | **de**+ | infinitive |
|---|---|---|---|---|
|   |   |   |   |   |
| Elle | a | <u>le</u> droit <u>le</u> temps <u>l'</u>intention <u>l'</u>occasion | **de** | parler. |

Exception:
*Elle a <u>du mal/des difficultés</u> **à** parler.*

|   | être+ | adjective+ | **de**+ | infinitive |
|---|---|---|---|---|
|   |   |   |   |   |
| Elle | est | désolée heureuse contente triste | **de** | parler. |
|   | (impersonal) |   |   |   |
|   |   |   |   |   |
| C' | est | interdit temps difficile l'heure | **de** | parler. |

Exception:
*Elle est <u>prête/disposée/résolue/habituée</u> à parler.*

**Particularities:**
Penser **à**+infinitive (=to remember): *Je **pense à** faire des courses.*
Penser+inifinitive (=believe, think): *Je **pense voyager** un peu.*

Commencer **à**+infinitive (=start doing something): *On commence à courir.*
Commencer **par**+infinitive (=*first*, start by... then...): *On commence par avoir des idées.*
Finir **de**+infinitive (=to finish something): *Je finis de manger.*
Finir **par**+infinitive (=finally, ended by something): *On a fini par trouver une solution.*

Verbs + **de** or **à** with similar meanings:
essayer **de** / chercher **à**
rêver **de** / songer **à**
refuser **de** / se resufer **à**
avoir l'habitude **de** / s'habituer or être habitué **à**
s'efforcer **de** / se forcer **à**
décider **de** / se décider or être décidé **à**

Il est nécessaire **de** parler.
C'est mieux **de** parler. But,
Il vaut mieux parler.
Il faut parler.

Construction of **de/à** with different meanings:
obliger/être forcé/être contraint **de** parler (=to be obligated to speak, to explain procedures, etc)
obliger/être amené/être poussé **à** parler (=to be made to speak)

facile **à** faire (no compliment)
facile **de** faire <u>le pain</u> (with compliment)

suffit **à** justifier (=enough to justify)

suffit **de** m'appeler (=just call me)

adjective+**à**+infinitive: simple **à** comprendre (=way of doing something)
noun+**à**+infinitive: une lettre **à** envoyer (=goal, destined to...)

... **à** (=outward, toward others): parler **à** tout le monde, répondre **à** tous, s'intéresser **à** un sujet
... **de** (=inward, toward self): parler **de** quelque chose intéressante, rêver **de** voyager, s'occuper **de** soi-même

## Exercises

**A.** Use **de** or **à** to fill in the gaps
1. J'ai envie … … … manger.
2. J'ai tendance … … … oublier des choses.
3. Tu as le droit … … … partir.
4. Ils ont des difficultés … … … se comprendre.
5. C'est interdit … … … fumer dans les gares.

**B. Write the following sentences in French**, use one of the verbs in the list (reuse if necessary)
~~songer~~, commencer, penser, faloir, être nécessaire, être agréable, suffire, une erreur
Montaigne thought about death. – *Montaigne songea **à** la mort.*
1. I think about you.
… … … … … … … … … … … … … … … … … … … … … … … … … … … … … … … … … … …
… … …

2. First of all, we start by discussing more in detail.
… … … … … … … … … … … … … … … … … … … … … … … … … … … … … … … … … … …
… … …

3. I think it's necessary to talk. – Yes, we must talk.
… … … … … … … … … … … … … … … … … … … … … … … … … … … … … … … … … … …
… … …
… … … … … … … … … … … … … … … … … … … … … … … … … … … … … … … … … … …
… … …

4. If you get bored, just call me.
… … … … … … … … … … … … … … … … … … … … … … … … … … … … … … … … … … …
… … …

5. It's enjoyable to lie down in the sun.
… … … … … … … … … … … … … … … … … … … … … … … … … … … … … … … … … … …
… … …

## 6. There is a mistake to correct.

… … … … … … … … … … … … … … … … … … … … … … … … … … … … … … … … … … … … … … … …
… …

# - PART TEN -

## VERB: tenses (time)

## PART TEN, Day 56 – Verb (tenses): je ferai

**The future simple: Je ferai...** is an programed, imagined or dreamed **future.**
*En cinq ans, je **publierai** cinq livres.*
*Un jour, il **tombera** amoureux d'elle.*
*Vous **connaissez** le bonheur un jour.*
*Ils **marieront** ou pas.*

The future simple, **Je ferai...** is used for making a promise or a commitment.
*Je t'**enverrai** un texto ce soir.*
*Nous **viendrons** quand vous avez besoin d'aide.*
*Nous **ferons** tout pour que vous êtes satisfaits de nos services.*

In a historical narrative, the future simple may introduce the idea of fatality or destiny:
*Dans 100 ans, nous les hommes **travaillerons** plus de la même manière qu'aujourd'hui.*
*Quand il y **aura** la guerre, il y **aura** des morts.*

For a programmed future event, either the future simple, **je ferai**, or the near future, **je vais faire**, is possible.
*À 20 heures ce soir, nous **regarderons/allons** regarder le journal.*
*La prochaine réunion **aura/va avoir** lieu samedi à 11 heures.*

After introducing a future plan with the near future, we use the future simple to make the text more smooth and elegant.
*Je **vais voyager** un peu cette année. Tout d'abord je **visiterai** ma sœur qui vit dans les Caraïbes, et puis, je **prendrai** l'avion pour Bali. Je **resterai** là-bas pour deux semaines. Je **serai** de retour le 1$^{er}$ septembre. Quand tu **vas venir** ici demain, je **serai** heureux, on **sortira** le soir, on **mangera** des bons plats au restaurant, on **verra** un bon film au cinéma. Tu **verras**, ça **sera** marrant. On **s'amusera** beaucoup.*

176

**Exercises**

**A. Use the future simple for a programmed/imagined future, use the suggested verbs in brackets.**

1. Bientôt on ……………… une nouvelle voiture. (avoir)

2. En cinq ans, tu ……………… un frère ou une sœur. (avoir)

3. Nous ……………… une maison plus grande. (acheter)

4. Dans quelques mois, ta tante Anne nous ……………… (visiter)

5. Quand tu …………… 15 ans, je …………… 49 ans, et ta mère …………… 47 ans. (avoir)

**B. Rewrite the chain of events in the future in a more elegant way.**

Je vais venir te chercher demain soir. Nos amis Alex et Léa vont nous rejoindre. On va manger au restaurant tous ensemble. On va boire de la bière. On va voir un film. On va danser toute la nuit.

*Je **vais venir** te chercher* …………………………………………………

……………………………………………………………………………………………

……………………………………………………………………………………………

……………………………………………………………………………………………

……………………………………………………………………………………………

……………………………………………………………………………………………

……………………………………………………………………………………………

……………………………………………………………………………………………

……………………………………………………………………………………………

……………………………………………………………………………………………

……………………………………………………………………………………………

……………………………………………………………………………………………

……………………………………………………………………

# PART TEN, Day 57 – Verb (tenses): je vais faire

**The near future: je vais faire**... is a future you can see/imagine from now.

*Mange ta soupe. Ça **va être** froid.*

*Regarde, il **va pleuvoir**.*

*Ce soir avant 16 heures, je **vais** t'**appeler**.*

The present simple, **je fais**, is often used to mark the immediacy of an up-coming event, especially with "bientôt", "tout de suite", "immédiatement":

*Je **pars** tout de suite.*

*Le bus **arrive** bientôt.*

*Lorsque son père l'appelle, il **rentre** immédiatement à la maison.*

*J'entends mal, attendez deux secondes ! Je **décroche** et je vous **rappelle** tout de suite.*

The near future, **je vais faire**..., to mark a change or an event to come:

*Léa et Alex, ils **vont se marier** le mois prochain.*

*J'ai trouvé un nouveau poste dans une autre ville. Je **vais déménager**.*

If we can see/imagine from now, the near future, **je vais faire**..., can be used for a distant future:

*Notre prêt hypothécaire **va toucher** sa fin dans 10 ans.*

*Je change ma voiture chaque 15 ans. Je **vais avoir** une nouvelle voiture dans 9 ans.*

### Exercises

**A. Make sentences with the given phrases about the future you can see/imagine from now.**

*Nuages noirs/pleuvoir – Regarde les nuages noirs qui arrivent ! Il **va pleuvoir**.*

1. La balle/le bord de la table/tomber - ... ... ... ... ... ... ... ... ... ... ... ... ...

… … … … … … … … … … … … … … … … … … … … … … … … … … … … … … … … …
… … … … …

2. La voiture de père/dans le garage/manger le dîner - … … … … … … … …
… … … … … … … … … … … … … … … … … … … … … … … … … … … … … … … … … …
… … … … …

3. Mon parapluie/acheter - … … … … … … … … … … … … … … … … … … … … …
… … … … … … … … … … … … … … … … … … … … … … … … … … … … … … … … … …
… … … … …

4. 15 ans dans 3 jours/fêter - … … … … … … … … … … … … … … … … … … …
… … … … … … … … … … … … … … … … … … … … … … … … … … … … … … … … … …
… … … … …

**B. Make sentences with the given phrases about a distant future you can see/imagine from now.**

À 2 heures dans la nuit du samedi 24 mars 2035 au dimanche 25 mars 2035/l'heure de votre gadget/dormir <u>une heure de moins</u> - *À 2 heures dans la nuit du samedi 24 mars 2035 au dimanche 25 mars 2035, l'heure de votre gadget **va avancer** d'une heure. Vous **allez dormir** une heure de moins*

1. Nos parents viennent d'acheter une grande maison et une voiture neuve avec un gros prêt hypothécaire. Finir de payer/ le prêt hypothécaire en 20 ans. -

… … … … … … … … … … … … … … … … … … … … … … … … … … … … … … … … …
… … … … … … … … … … … … … … … … … … … … … … … … … … … … … … … … … …
… … … … … … … … … … … … … … … … … … … … … … … … … … … … … … … …
… … … … … … … … …

2. Dans 10 ans/avoir 25 ans -

… … … … … … … … … … … … … … … … … … … … … … … … … … … … … … … … …
… … … … … … … … … … … … … … … … … … … … … … … … … … … … … … … … … …
… … … … … … … … … … … … … … … … … … … … … … … … … … … … … … … …
… … … … … … … … … …

3. Mon père achète une nouvelle paire de bottes chaque 5 ans. Il en vient d'acheter une aujourd'hui. Une nouvelle pair/dans 5 ans -

… … … … … … … … … … … … … … … … … … … … … … … … … … … … … … … … …
… … … … … … … … … … … … … … … … … … … … … … … … … … … … … … … … … …
… … … … … … … … … … … … … … … … … … … … … … … … … … … … … … … …
… … … … … … … … …

# PART TEN, Day 58 – Verb (tenses): l'imparfait (1)

**The Imperfect, l'imparfait**, works more like a moment in the past captured in an image. There is no beginning nor end.

*Il pleuvait.*

*Un homme marchait avec un parapluie.*

*On entendait un chien aboyait quelque part.*

There is no notion that one thing happened first, and a second thing happened next. Just like you opened a window for 5 seconds, and then shut it. All you saw or heard during those 5 seconds go perfectly with **l'imparfait**.

*Des voitures roulaient dans la rues.*

*Des enfants criaient.*

*Des femmes riaient.*

*Le ciel était partiellement recouvert de gros nuages gris.*

To describe thoughts, desires, or states of mind while daydreaming or just letting your mind wander <u>passively</u>. For example, it was a sunny afternoon, you took a nice cup of coffee to your balcony, took a chair to relax and closed your eyes.

*Les images de mes vacances d'été revenaient. Pour un instant, je croyais que j'étais toujours à Gibraltar, en Espagne. Je pensais à de beaux moments passés avec des locaux, des promenades au grand soleil...*

Used with circumstances and consequences:

*Il faisait nuit, plus de train. Il fallait que j'appelle un taxi.*

**L'imparfait** used after **comme** to suspend the moment in order to <u>highlight</u> the circumstance, sort of viewing it in <u>slow motion</u> to describe what happened <u>during</u> that moment.

*<u>Comme</u> l'enfant courait, il est tombé.*

To make a moment in the past more dramatic in written texts:

*Deux mois après sa naissance, sa mère tombait malade et mourait trois semaines plus tard.*

When you read the following sentences, imagine you are going slowly through some photographs, time is suspended in each image.

*Un homme **attendait**. Il **lisait** un journal. Il **fumait** une cigarette. Il **disait** quelque chose à la personne près de lui. Il **tournait** la tête (**Entendait**-il quelque chose, son nom peut-être ?). Il se **levait**. Il **souriait**. Il **partait**. On ne **voyait** plus l'homme.*

## Exercises

**A. Write sentences in the imperfect tense, l'imparfait, with the following phrases.**

*Une vue sur un champ:*

1. Il/bruiner …… … … …… … … …… … … …… … … … … … … … … …… … … …… …… …

2. des vaches/paître …… … … …… … … …… … …… … … … … … … … …… … … …… …… …

3. Ils/beugler … … … … … … … … … … …… … … …… … … … … … … … …… … … … …… …

4. nous/entendre/des cloches …… … … …… … … … … …… … … … … … … … … …… …… …

5. les nuages/diminuer …… … … … … …… … … … …… … … … …… … … …… … … …
…… … …

6. le ciel/éclaircir …… … … … … … … … … …… … … … … … … … … … … … … …… … …
…… …… …

**B. Dramatize the following events.**

Un homme <u>saisit</u> la bourse d'une femme et il <u>s'enfuit</u>. Un homme <u>a couru</u> après et <u>a attrapé</u> le voleur. Les deux hommes <u>sont tombés</u> à terre. Le voleur <u>a frappé</u> l'homme très fort, <u>s'est levé</u> et <u>s'est enfui</u> à nouveau. Mais, nous <u>avons trouvé</u> le porte-monnaie du voleur sur le sol.

*Un homme saisit la bourse d'une femme et il s'enfuit. Un homme **courait** après et* …… … … … …… … … …… … … … … … … …… … … …… … … …
…… … … … …… … … … … … … …… … … …… … … … … … … … …… … …… …… …
…… … … …… … … … … … …… … … …… … … … … … … … … …… … …… …… …
…… … … … … …… … … … … … …… … … …… … … … … … … …… … …… …… …
…… … … … … …… … … … … … …… … … …… … … … … … … …… … …… …… …
…… … … … … …… … … … … … …… … … …… … … … … … … …… … …… …… …
…… … … … … …… … … … … … …… … … …… … … … … … … …… … …… …… …
…… … … … … …… … … … … … …… … … …… … … … … … … …… … …… …… …
…… … … … … …… … … … … … …… … … …… … … … … … … …… … …… …… …
…… … … … … …… … … … … … …… … … …… … … … … … … …… … …… …… …
…… … … … … …… … … … … … …… … … …… … … … … … … …… … …… …… …
…… … … … … …… … … … … … …… … … …… … … … … … … …… … …… …… …

…… … … … … … … … … … … … … … … … … … … … … … … … … … … … … … … … … … … … …
… … … … … … … … … … … … … … … … … … … … … … … … … … … … … … … …

# PART TEN, Day 59 – Verb (tenses): l'imparfait (2)

**The Imperfect, l'imparfait,** is used with <u>indefinite</u> or <u>unclear</u> duration.

*Avant, je **jouais** beaucoup au foot.*

We do not know when (or at what age) the playing started and when it ended. The only thing which is clear to us is that he does not play football any longer.

*Quand nous **étions** enfants, nous **jouions** beaucoup ensemble.*

*Emma **perdait** sa virginité avant ses 20 ans.*

Used with habits, things that we used to do all the time.

*Mon grand-père **marchait** tous les jours pendant 1 heure. Il mourut à l'âge de 96 ans.*

To describe a state or nature of something.

*Il **pleuvait** hier, je ne **pouvais** pas sortir.*

*Le repas **était** très bon.*

*Le gâteau **était** délicieux.*

*Ç'**était** très intéressant la soirée.*

Say last Saturday afternoon, you saw through the window that outside was sunny and nice. Few minutes after, you went out and read a book on the grass in a public park. The weather was still nice. You use <u>l'imparfait</u>.

*Samedi dernier dans l'après-midi je suis sorti et j'ai lu un livre sur l'herbe dans un parc public.*

*Il **faisait** beau !*

## Exercises

### A. Transform the sentences.

*Pendant <u>les dernières vacances</u> d'été, on a joué ensemble tous les jours.*
*– <u>Avant</u>, on **jouait** ensemble tous les jours.*

1. Tous les jours, <u>pendant 6 mois</u>, j'ai pratiqué la guitare. – <u>Souvent</u> *dans mon adolescence, ... ... ... ... ... ... ... ... ... ... ... ... ... ... ... ... ... ... ... ... ... ... ... ...*

2. <u>Jusqu'à</u> l'âge de 14 ans, j'ai aimé le lait. – <u>Quand j'étais petit</u>, ... ... ...

… … … … … … … … … … … … … … … … … … … … … … … … … … … … … … … … … … … … … … … … … … … …
… … … … … … …

3. Emma a perdu sa virginité à l'âge de 17 ans. - … … … … … … … … … … …
*après l'âge de 15 ans.*

4. La semaine dernière, on a fait de la plongée en apnée. – *Avant,* … …
… … … … … … … … … … … … … … … … … … … … … … … … … … … … … … … … … … … … …
… … … … … …

5. Aujourd'hui on a des appareils photo sur nos téléphones
portables. *Avant on* … … … … … … … … … … … … … … … … … … … … … … … …
… … … *des photos sur de vieux appareils photo de marque Kodak.*
(prendre)

# PART TEN, Day 60 – Verb (tenses): le passé composé

The **passé composé** is used for punctual, successive actions. Each action is ended before the other, either happened yesterday or years ago.

(Say, today is Wednesday. A friend asks you what did you do last Saturday morning. You answer:)

*J'**ai pris** mon vélo.*

*Je **suis allé** au marché.*

*J'**ai acheté** des légumes.*

*Je **suis revenu** chez moi.*

The **passé composé** is used with a <u>definite</u> duration.

*Entre l'âge de 12 et 14 ans, j'**ai joué** de la guitare.*

*Hier soir, pour cinq minutes, le détecteur de fumée **a sonné**.*

*Jusqu'à l'âge de 14 ans, j'**ai aimé** le lait.*

Compare:

*Tous les jours, pour 45 minutes, je faisais du vélo.* (=always, indefinite beginning or ending)

*Tous les jours, pendant 2 ans, j'**ai fait** de la guitare.* (=within the 2-year period)

Used for conclusions (especially with adverbs such as <u>finalement</u>).

*J'**ai** souvent **pensé** à adopter un chien.*

*Mais finalement, j'y **ai renoncé**.*

Used with <u>toujours</u> and <u>jamais</u>.

*J'**ai** toujours **aimé** le chocolat.*

*Je n'**ai** jamais **fumé** la chicha.*

*Le village, ça **a** toujours **été** beau.*

Used with <u>longtemps</u> and (twice, five times) <u>repetition</u>.

*J'**ai** longtemps **fait** du vélo.*

*J'**ai lu** ce livre trois fois.*

With consequence

*Je **suis allé** au marché sans le portefeuille, alors il **a fallu** revenir.*

Used with observations, journalistic statements:

*L'événement s'**est** bien **passé**.*

*L'équipe de France **a gagné** le match.*

*La tempête **est passée** et les voyageurs **ont pu** prendre leurs vols.*

With phrases "soudain", "puis", "alors", "et ensuite", etc, we use the **passé composé**.

*Je pédalais. Soudain, le vélo **a glissé**. Puis je **suis tombé**. Et ensuite, j'**ai pris** le vélo à nouveau et j'**ai continué** le chemin.*

Taking actions with <u>consciousness</u>. For example, you were daydreaming on your balcony in the sunny afternoon. Then you heard the phone ringing (you were no longer daydreaming).

*J'**ai entendu** le téléphone sonner.*

*Je me **suis levé** pour y répondre.*

In the following sentences, the time passes constantly, each action is complete.

*Un homme **a attendu** pour 12 minutes. Il **a lu** un journal. Il **a fumé** une cigarette. Il **a dit** quelque chose à la personne près de lui. Il **a tourné** la tête (a-t-il **entendu** quelque chose, son nom peut-être ?). Il s'**est levé**. Il **a souri**. Il **est parti**.*

## Exercises

### A. Write sentences with the suggested words/phrases.

Il/aimer/toujours/le foot – *Il a toujours **aimé** le foot.*

1. Je/aimer/toujours/le chocolat

…… …… …… … …… …… … …… … …… …… …… … …… … …… … …… …… …… … …… … ……
… ……

2. Il/boire/jamais/le vin

…… …… …… … …… …… … …… … …… …… …… … …… … …… … …… …… …… … …… … ……
… ……

3. Je/faire de/longtemps/la guitare

…… …… …… … …… …… … …… … …… …… …… … …… … …… … …… …… …… … …… … ……
… ……

4. Je/voir/quatre fois/ce film

…… …… …… … …… …… … …… … …… …… …… … …… … …… … …… …… …… … …… … ……
… ……

5. Elle/entendre/soudain/le téléphone sonner

…… …… …… … …… …… … …… … …… …… …… … …… … …… … …… …… …… … …… … ……
… ……

### B. Turn the following sentences into the passé composé.

*Tous les jours :*

1. Je pédale le vélo au marché.

…… …… …… … …… …… … …… … …… …… …… … …… … …… … …… …… …… … …… … …… …

… …

2. J'achète le pain.

… … … … … … … … … … … … … … … … … … … … … … … … … … … … … … … … …
… … …

3. Je parle avec ma mère au téléphone.

… … … … … … … … … … … … … … … … … … … … … … … … … … … … … … … … …
… … …

4. Je dîne vers 19 heures.

… … … … … … … … … … … … … … … … … … … … … … … … … … … … … … … …
… … …

5. Je vois un film avant de me coucher.

*Hier :* **J'ai pédalé** … … … … … … … … … … … … … … … … … … … … … … … …
… … … …

# PART TEN, Day 61 – Verb (tenses): compare "l'imparfait" with "le passé composé"

**1. L'imparfait** is used for actions with no clear beginning/ending, can be <u>multiple actions happening at the same time</u>.

*Quand je suis rentré chez moi hier :*
*(1) La télévision s'**allumait** sur un film. (2) La radio **émettait** une chanson de Chérie FM. (3) Derrière la porte de la salle de bain, j'**entendais** l'eau couler. (4) À l'intérieur de la salle de bain, ma femme **était** tombée à terre, inconsciente.*

**2. The passé composé** is used for actions with clear beginning/ending, happening <u>one complete action after another</u>.

*Hier chez moi :*
*(1) J'**ai dit** chérie. (2) J'**ai touché** sa peau, elle respirait. (3) J'**ai couru** dans le salon pour appeler d'urgence. (4) Ils **sont arrivés** dans 10 minutes. (5) Après deux heures à l'hôpital, ma femme et moi, on **a pris** un taxi et tout de suite on **est rentré** à la maison. Ma femme va bien.*

Between wanderings of the mind (l'imparfait) and being conscious (the passé composé):
*Je **sommeillais/pensais** à des souvenirs (l'imparfait). Soudain, j'**ai entendu** (the passé composé) un bruit.*

(1) Time suspended/in slow motion (l'imparfait) v. (2) rapid successive movements (the passé composé)
*(1) L'homme a l'air ennuyé. Il **regardait** le ciel. Il **faisait** semblant de lire quelque chose. Il **fumait** une cigarette. Pour lui, le temps ne **passait** pas assez vite.*
*(2) Un homme **est entré** dans la pièce. Il **a dit** quelque chose à un autre homme. Puis il **est sorti** de la pièce. Après quelques secondes, un troisième homme **est entré** dans la pièce. Il **a dit** quelque chose. Et ensuite, tout le monde **est sorti** de la pièce.*

(1) Indefinite duration (l'imparfait) v. (2) definite duration (the

passé composé)
*Je **conduisais** (1) une Peugeot mais entre 2012 et 2013 j'**ai conduit** (2) une Renault Vel Satis.*

More subtle differences:
*Elle **a été** malade.* (a remark, no more information is asked)
*Elle **était** malade.* (a situation, a state, more information is expected. For example: *Elle était malade, donc elle n'a pas pu travailler.*)
*Le 4 juillet, j'**ai pris** le train pour Paris.* (standard French)
*Le 4 juillet, je **prenais** le train pour Paris.* (literary)
*Jusqu'à aujourd'hui, je le **considérais** comme un ami.* (=he is no more a friend)
*Jusqu'à aujourd'hui, je l'**ai considéré** comme un ami.* (=he is still a friend)

**Exercises**
**A. Use the correct tense with the suggested verbs.**
Hier, dimanche, vers 15 heures 30, j'**étais** au soleil. Je …… …… …… ……
*Madame Bovary* de Gustave Flaubert (lire). Soudain, mon téléphone
…… …… …… …… (sonner). C'était mon amie. On …… …… …… …… pour
10 minutes (parler). Après je …… …… …… …… à des vacances (penser)
que l'on …… …… …… …… ensemble l'automne dernier (passer). Les
souvenirs de soirées me …… …… …… …… en mémoire (revenir).
Autour de moi, des enfants …… …… …… …… au ballon (jouer). Un
couple se …… …… …… …… (embrasser). Je …… …… …… …… un texto de
mon amie (recevoir) en me disant qu'elle allait venir me voir. Je …… ……
…… …… …… à son texto (répondre) : « Je serai au café Rotonde dans 2
minutes. »

# PART TEN, Day 62 – Verb (tenses): the passé simple

**The passé simple** is used in <u>literature</u> (narrative, journalistic...) where it <u>replaces</u> the passé composé.

**Être** : -us, -us, -ut, -ûmes, -ûtes, -urent

*Je fus. Tu fus. Il fut. Nous fûmes. Vous fûtes. Ils furent.*

**Aller** : -ai, -as, -a, âmes, -âtes, -èrent

*J'allai. Tu allas. **Il alla**. Nous allâmes. Vous allâtes. Ils allèrent.*

**Vouloir** : -us, -us, -ut-, -ûmes, -ûtes, -urent

*Je voulus. Tu voulus. Il voulut. Nous voulûmes. Vous voulûtes. Ils voulurent.*

**Offrir** : -is, -is, -it, -îmes, -îtes, -irent

*J'offris. Tu offris. Il offrit. Nous offrîmes. Vous offrîtes. Ils offrirent.*

*Les coureurs **furent** fatigués. Ils **eurent** faim. Ils **arrêtèrent** dans un village. Ils **mangèrent**. Et ils y **dormirent**.*

<u>L'imparfait</u> and <u>the passé simple</u> go hand in hand: <u>l'imparfait</u> is used to set the background and <u>the passé simple</u> for actions.

*Il **pleuvait**. (background) Un orage **éclata**. (action)*

*Les coureurs **pédalaient**. (background) Soudain, l'un d'eux **tomba**. (action)*

**The passé simple** gives a sense of rapidity:

*Il se **retourna**. Il la **vit**. Il lui **sourit**.*

*Un homme **courut** après le voleur. Il l'**attrapa**. Le voleur **essaya** de s'échapper. Quelques gens **vinrent** pour aider l'homme.*

**Exercises**

**A. Convert the following sentences into <u>passé simple</u>**

Il <u>a été</u> fatigué. – *Il **fut** fatigué.*

*Il faisait beau.* Nous <u>avons pris</u> nos vélos et nous <u>avons pédalé</u> le long de la rivière. Après deux heures, nous nous <u>sommes arrêtés</u> pour un pique-nique. Moi, <u>j'ai mangé</u> un sandwich au fromage avec de la salade, et j'<u>ai bu</u> un jus de fruits. Certains d'entre nous <u>ont</u>

<u>dormi</u> au soleil, certains <u>ont joué</u> au ballon alors que d'autres <u>ont lu</u>.

.........................................................................................................................
.........................................................................................................................
.........................................................................................................................
.........................................................................................................................
.........................................................................................................................
.........................................................................................................................
.........................................................................................................................
.........................................................................................................................
.........................................................................................................................
.........................................................................................................................
.........................................................................................................................
.........................................................................................................................
.........................................................................................................................
.........................................................................................................................
.........................................................................................................................
............

**B. Write a scene with l'imparfait** (for background) **and the passé simple** (for actions) **You can use your own examples.**

*Il faisait beau/Il pleuvait/Nous marchions/On parlait. Soudain, .........*

.........................................................................................................................
.........................................................................................................................
.........................................................................................................................
.........................................................................................................................
.........................................................................................................................
.........................................................................................................................
.........................................................................................................................
.........................................................................................................................
.........................................................................................................................
.........................................................................................................................
.........................................................................................................

# PART TEN, Day 63 – Verb (tenses): the "passé simple" and the "passé antérieur"

If a past action is narrated with **the passé simple**, then another action happened earlier takes **the passé antérieur** ("the plus-que-parfait" with "the passé composé"). A story happened in the past takes place in this order:

(1st action) **the passé antérieur**, (2nd action) **the passé simple**:

*Je fus déjà parti quand elle arriva.* (1st action "partir", 2nd action "arriver")

*Je vis* (2nd action) *que quelqu'un fut entré* (1st action).

*Nous entendîmes à la radio que une guerre eut déclarée dans un pays lointain.*

The formation of **the passé antérieur**
*Auxiliary verbs <u>avoir</u> and <u>être</u> with the <u>passé simple</u> format + the <u>past participle</u>*

*Quand elle arriva,*

| | |
|---|---|
| *je fus déjà parti.* | *il fut déjà parti.* |
| *je eus déjà mangé.* | *il eut déjà mangé.* |
| *nous eûmes déjà mangé.* | *vous eûtes déjà mangé.* |

The **passé antérieur** is used with the <u>passé simple</u> in <u>literature</u> (narrative, journalistic...) where it <u>replaces</u> the plus-que-parfait. One action after another (look at the following "if this, then that")

(if <u>passé antérieur</u>) *Je fus déjà parti,* (then <u>passé simple</u>) *quand elle arriva.*

(if <u>plus-que-parfait</u>) *Je étais déjà parti* (then <u>passé composé</u>) *quand elle est arrivée.*

*Je revins car elle n'eut été pas là.*
*Personne n'eut répondu donc, je raccrochai.*

The plus-que-parfait is possible for the first action (instead of the passé antérieur) if a rapid second action had some effect from the first:

*Je vis qu'elle avait pleuré.*

**Exercises**

**A. In which tense the following phrases in bold are written?**

*J'avais faim donc j'ai mangé une pomme.* (first is l'imparfait, second is the passé composé)

1. J'**eus attendu** 20 minutes, personne ne **vint**, donc je **revins**.
(… … … … … … … … … … … … … … … … … … … … … … … … … … … … … …)

2. Quand je **vis** cela, ce **fut** déjà trop tard.
(… … … … … … … … … … … … … … … … … … … … … … … … … … … … …)

3. Le bus **fut** déjà **parti** quand il **arriva** à l'arrêt.
(… … … … … … … … … … … … … … … … … … … … … … … … … … … … …)

**B. Is "the passé composé" possible with "the passé antérieur"?**

If yes, explain why yes.

… … … … … … … … … … … … … … … … … … … … … … … … … … … … … … … …
… … … … … … … … … … … … … … … … … … … … … … … … … … … … … … …
… … … … … … … … … … … … … … … … … … … … … … … … … … … … … …
… … … … … … … … …

If no, explain why no.

… … … … … … … … … … … … … … … … … … … … … … … … … … … … … …
… … … … … … … … … … … … … … … … … … … … … … … … … … … … … …
… … … … … … … … … … … … … … … … … … … … … … … … … … … … …
… … … … … … … …

**C. Write freely the "passé simple" and the "passé antérieur" in the same sentence.**

… … … … … … … … … … … … … … … … … … … … … … … … … … … … … … …
… … … … … … … … … … … … … … … … … … … … … … … … … … … … … … …
… … … … … … … … … … … … … … … … … … … … … … … … … … … … … …
… … … … … … … … …
… … … … … … … … … … … … … … … … … … … … … … … … … … … … … … …
… … … … … … … … … … … … … … … … … … … … … … … … … … … … … … …
… … … … … … … … … … … … … … … … … … … … … … … … … … … … … …
… … … … … … … … …
… … … … … … … … … … … … … … … … … … … … … … … … … … … … … … …
… … … … … … … … … … … … … … … … … … … … … … … … … … … … … … …
… … … … … … … … … … … … … … … … … … … … … … … … … … … … … …
… … … … … … … … …
… … … … … … … … … … … … … … … … … … … … … … … … … … … … … … …
… … … … … … … … … … … … … … … … … … … … … … … … … … … … … … …
… … … … … … … … … … … … … … … … … … … … … … … … … … … … … …

… … … … … … … … ..
… … … … … … … … … … … … … … … … … … … … … … … … … … … … … … … … … … … … … … … … …
… … … … … … … … … … … … … … … … … … … … … … … … … … … … … … … … … … … … … … … … …
… … … … … … … … … … … … … … … … … … … … … … … … … … … … … … … … … … … … … … …
… … … … … … … … … …
… … … … … … … … … … … … … … … … … … … … … … … … … … … … … … … … … … … … … … …
… … … … … … … … … … … … … … … … … … … … … … … … … … … … … … … … … … … … … … …
… … … … … … … … … … … … … … … … … … … … … … … … … … … … … … … … … … … … … … …
… … … … … … … … … ..

# PART TEN, Day 64 – Verb (tenses): the "passé composé" and the "plus-que parfait"

Study

*J'ai mangé.* (=the passé composé)

Change "**ai**" in "*J'ai mangé.*" to l'imparfait, **ai > avais**

*J'avais mangé.* (=the plus-que-parfait).

*Je suis arrivé.* (=the passé composé)

Change "**suis**" in "*Je suis arrivé.*" to l'imparfait, **suis> étais**

*J'étais arrivé.* (=the plus-que-parfait).


The plus-que-parfait is formed with the verbs <u>avoir</u> and <u>être</u> in <u>l'imparfait</u> format + <u>past participle</u>.

*J'avais déjà mangé quand elle est arrivée.*

The plus-que parfait is used when: the second of two past actions is expressed through <u>the passé composé</u>.

*Elle est arrivée.* (=2nd action in <u>the passé composé</u>)

*J'avais déjà mangé.* (=1st action in <u>the plus-que-parfait</u>)

*Quand je suis arrivé, elle avait déjà mangé.*

*Quand j'ai commencé apprendre l'espagnol, j'avais déjà appris les français.*


<u>The plus-que-parfait</u> is used with time markers, "avant", "plus tôt", "précédent", "la veille"

*On est allé au restaurant vers 19 heures. J'avais appelé mes amis une heure <u>plus tôt</u>.*

*Cette semaine j'ai fait des courses. On avait oublié de les faire la semaine <u>précédente</u>.*

*<u>Avant</u> cela n'était jamais arrivé. Seulement cette année qu'il a oublié mon anniversaire.*


If there is <u>only one action</u> taken place in the past, the <u>plus-que-parfait</u> is <u>not possible</u>. We may use either <u>the passé composé</u> or <u>the passé simple</u>.

*Ce matin j'ai mangé mon petit-déjeuner tranquillement.*

*Je suis tombé mais je ne suis pas blessé.* (only one action)
*J'ai voyagé au Bali il y a 15 ans.* ~~J'avais voyagé au Bali il y a 15 ans.~~

In some situations, we use <u>the passé composé</u>+<u>the passé composé</u>.
Compare the difference:
*J'**ai retrouvé** le livre que j'**avais perdu**.* (fist loosing the book, then
finding it)
*Je n'**ai pas retrouvé** le livre que j'**ai perdu**.* (the book is still lost)
*J'**ai eu** mal au ventre parce que j'**ai** trop **mangé**.* (Cause-effect, the
second is linked with the first.)
*Elle **a arrêté** de travailler en 2015, parce qu'elle **avait gagné** au Loto
l'année précédente.* (She won the lottery *in 2014*)
*Elle **a arrêté** de travailler parce qu'elle **a gagné** au Loto <u>récemment</u>.*

In certain circumstance, <u>the plus-que-parfait</u> is possible with
<u>l'imparfait</u>.
*Elle <u>était</u> heureuse parce qu'elle **avait rencontré** un beau garçon.*
(=first she met him, then she became happy)
*Hier soir, j'<u>étais</u> fatigué parce que j'**avais travaillé** toute la journée.*

## Exercises
**A. Turn the following sentences into "passé composé"—"plus-
que-parfait"**, if it is possible.
Je n'ai pas faim. Je viens de manger. – *Quand il m'a invité au
restaurant, j'avais déjà mangé.*
1. Quand elle vient ici, nous sommes déjà partis. – *Quand elle*
… … … … … … … … … … … … … … … … … … … … … … … … … … … … … … …
… … … … … … … … … … … … … … … … … … … … … … … … … … … … … … …
… … … … … ..

2. Quand j'arrive à l'arrêt de bus, le bus a déjà passé. – *Quand je*
… … … … … … … … … … … … … … … … … … … … … … … … … … … … … … …
… … … … … … … … … … … … … … … … … … … … … … … … … … … … … … …
… … … … … … ..

3. Elle me dit qu'elle ne l'a jamais entendu. – *Elle me*
… … … … … … … … … … … … … … … … … … … … … … … … … … … … … … …
… … … … … … … … … … … … … … … … … … … … … … … … … … … … … … …
… … … … … … ..

4. Elle me dit qu'elle n'a jamais lu un livre entier. – *Elle me*
… … … … … … … … … … … … … … … … … … … … … … … … … … … … … … …

196

… … … … … … … … … … … … … … … … … … … … … … … … … … … … … … … … … … … … … … … … … …
… … … … … … ..

5. Elle aime tout ce qu'il a écrit. – *Elle a*

… … … … … … … … … … … … … … … … … … … … … … … … … … … … … … … … … … … … … … …
… … … … … … … … … … … … … … … … … … … … … … … … … … … … … … … … … … … … … … …
… … … … … ..

6. J'ai déjà commencé de faire la réparation quand ma femme me la rappelle par texto. – *Je*

… … … … … … … … … … … … … … … … … … … … … … … … … … … … … … … … … … … … … … …
… … … … … … … … … … … … … … … … … … … … … … … … … … … … … … … … … … … … … … …
… … … … … ..

7. Elle et moi, on se marrie quand on a plus de 25 ans tous les deux. – *On se*

… … … … … … … … … … … … … … … … … … … … … … … … … … … … … … … … … … … … … … …
… … … … … … … … … … … … … … … … … … … … … … … … … … … … … … … … … … … … … … …
… … … … … ..

8. Elle se couche dès qu'elle s'est lavée. – *Elle se*

… … … … … … … … … … … … … … … … … … … … … … … … … … … … … … … … … … … … … … …
… … … … … … … … … … … … … … … … … … … … … … … … … … … … … … … … … … … … … … …
… … … … … ..

# PART TEN, Day 65 – Verb (tenses): the passé surcomposé

You may only spot this tense in written texts.
*J'ai fini.* (=passé composé)
*Je suis rentré.* (=passé composé)

*J'ai eu fini.* (=passé surcomposé)
*J'ai été rentré.* (=passé surcomposé)

The formation
(Elle) **a eu** (for verb avoir) - *Elle a eu fini ses études.*
(Elle) **a été** (for verb être) - *Elle a été partie.*

(Nous) **avons eu** (for verb avoir) – *Nous avons eu fini nos études.*
(Nous) **avons été** (for verb être) – *Nous avons été partis.*

*Je suis rentré chez moi dès que j'**ai eu fini** mon travail.*
*Dès que j'**ai eu fini** mon travail, je suis rentré chez moi.*
What is more common for the same usage would be,
après+infinitive:
*Après avoir fini mon travail, je suis rentré chez moi.*

*Elle s'est couchée dès qu'elle **a eu pris** une douche.*
*Elle s'est couchée après avoir pris une douche.*

## Exercises
### A. Convert these sentences into the passé surcomposé
1. J'ai mangé. *– Je* … … … … … … … … … … … … … … … … … … … … … … … … …
… …
2. Vous êtes partis. *– Vous* … … … … … … … … … … … … … … … … … … … … … … …
… …
3. Elle a écrit. *– Elle* … … … … … … … … … … … … … … … … … … … … … … … …
… …
### B. Use the common format for the following sentences
1. Elle s'est couchée dès qu'elle a eu pris une douche. … … … … … … … …

… … … … … … … … … … … … … … … … … … … … … … … … … … … … … … … … … … … … …
… … … … … …

2. Quand il a eu déjeuné, elle est partie. … … … … … … … … … … … … … … …
… … … … … … … … … … … … … … … … … … … … … … … … … … … … … … … … … …
… … … … ..

# PART TEN, Day 66 – Verb (tenses): the "simple future" and the "future antérieur"

Your calendar for tomorrow:
11:00 am: receive an important guest
12:30 pm: have lunch
02:00 pm: send an email to sales department

**1. The simple future** is used for actions that take place in the future.
*Demain :*
*Je **recevrai** un invité important à 11 heures.*
*Je **déjeunerai** à midi 30.*
*J'**enverrai** un courriel à 14 heures.*

**2. The future antérieur** is used for future actions taken place <u>before a fixed time in the future</u>.
*Demain :*
*À 14 heures, j'**aurai fini** mon déjeuner.*
*À midi 30, j'**aurai reçu** un invité important.*

Verbs <u>avoir</u> and <u>être</u> to future form + past participle = <u>the future antérieur</u>
*Elle est enceinte de 6 mois. Dans 4 mois :*
*Le bébé **sera né**. (=future antérieur)*
*Elle **aura eu** un bébé. (=future antérieur)*
*Elle **nommerai** Emma s'il s'agit d'une fille. (=simple future)*
*Elle **nommerai** Michel s'il s'agit d'un garçon. (=simple future)*

<u>The future antérieur</u> is also used for <u>suppositions</u>/<u>assumptions</u>.
*Le téléphone de son bureau ne répond pas. Il **aura quitté** le bureau.*
*J'entends le bruit d'une voiture dehors. – Ton père **sera revenu**.*

The phrase <u>une fois que</u>, <u>dès que</u> with a future action serves as a fixed time, the future antérieur is used.

*Je t'appellerai <u>dès que</u> j'**aurai quitté** le bureau.*
*Nous vous enverrons le colis <u>une fois que</u> nous **aurons reçu** le paiement.*

**Exercises**
**A. Follow the given example. Use either "simple future" or "future antérieur"**
Je... ... déjeuner / vers midi 30 / à 14 heures – *Je **déjeunerai** vers midi 30 et donc, à 14 heures, j'**aurai déjeuné**.*
1. Il ... ... partir / vers 11 heures / à midi -

..................................................................................................
..................................................................................................
...............

2. Elle ... ... venir / demain matin / demain après-midi -

..................................................................................................
..................................................................................................
...............

3. On ... ... finir / à 16 heures / à 16 heures 30 -

..................................................................................................
..................................................................................................
...............

4. Nous ... ... dîner / vers 20 heures. Si tu viens une heure après, nous ... ... et tu ne ... ... (avoir) rien à manger.

..................................................................................................
..................................................................................................
...............

5. Demain matin je ... ... passer au café dans le coin / vers 11 heures. Si vous venez après 11 heures 30, je ... ... (déjà/passer) et vous ne me ... ... (trouver) plus au même café.

..................................................................................................
..................................................................................................
...............

**B. Use the future antérieur for suppositions. Follow the given example if necessary.**
Il ne répond pas le téléphone. – *Il **aura occupé**.* (Peut-être qu'il est occupé.)
1. Il ne m'a pas dit bonjour quand on s'est croisé dans la rue. - ... ... ...
..................................................................................... (Peut-être qu'il a regardé ailleurs à ce moment-là.)
2. Ma fille ne dit pas un mot. Je pense qu'elle est fâchée contre moi. -
..................................................................................... (Peut-être qu'elle

fâchée avec autre chose.)

# PART TEN, Day 67 – Verb (tenses): when "past participle" does/does not agree (1)

Verb **être**+**past participle**, *Elle <u>est</u> arrivée.*

**1. agrees**

With the subject, when subject+verb+past participle, in past sentences.

*Elle est **partie**.*

*Ils sont **sorties**.*

*Vous êtes **bienvenus**.*

When a <u>direct</u> complementary object comes <u>before</u>

*Je <u>me</u> suis **levé(e)** vers 6 heure ce matin.*

*Ils <u>se</u> sont **regardés**.*

*Je <u>me</u> suis **lavé(e)**.*

*Nous <u>nous</u> sommes **aimés**.*

*Comment trouves-tu <u>ma nouvelle bicyclette</u> que je me suis **achetée** hier ?*

*Ils <u>se</u> sont **aperçues** qu'il était trop tard.*

*Elle <u>s'</u>est **imaginée** au soleil sur une plage.*

**2. does not agree**

When a <u>direct</u> complementary object comes <u>after</u>

*Elle s'est **coupé** <u>les cheveux</u>.*

*Tu s'est **acheté** <u>une nouvelle bicyclette</u>.*

With an <u>indirect</u> complementary object (with verbs such as "parler <u>à</u>"..., "plaire <u>à</u>"..., "plaire <u>à</u>"... etc)

*Nous nous sommes **parlé**. (=<u>to</u> each other)*

*Nous nous sommes **souri**.*

*Ils se sont **menti**.*

*Nous nous sommes **plu**.*

*Les évènements se sont **succédé**.*

*Nous ne nous sommes jamais **menti**.*

With verbs such as "se permettre", "se demander", etc (<u>Je me</u> permets... =<u>I</u> allow <u>myself</u>... both the subject and the reflexive object (se, me...)are the same thing

*Nous nous sommes **permis** de manger au restaurant le dimanche.*

*Elle s'est **demandé** comment manger plus sainement.*
*Nous nous sommes **rendu** compte de la difficulté.*
*Ils se sont **imaginé** qu'ils deviendront riches et heureux.*

Verb **avoir**+**past participle**, *Elle a mangé.*
Imagine yourself writing what someone is saying, as they speak.
They say:
*J'ai **acheté**...* (at this point if you do not know what they have
bought, the past participle does not agree)
*J'ai **acheté** une maison.*
*La maison que j'ai **achetée**...* (when you write the verb acheter, if
you know what they have bought, the past participle agrees)
*On a **joué** à trois matchs de foot.*
*Les trois matchs de foot qu'on a **joués**.*

The pronoun **en** is always singular.
*Combien de matchs avez-vous **joués** ? – Nous en avons **joué** trois.*
*Combien en avez-vous **joué** ? – Nous **en** avons **joué** beaucoup.*
A direct complementary object noun coming before the past
participle is effective, and en gets ignored if it is found in the same
phrase.
*Les matchs qu'ils en ont **perdus** sont deux.* (here, agrees with les
matchs, not with en)

Anything with measurements (combien ?) does not agree.
If questionable with "Quoi", agrees. Compare:

| | |
|---|---|
| *Les deux ans que j'ai **vécu**...* | *Les expériences que j'ai **vécues**...* |
| *Les 200 euros que ça m'a **coûté**...* | *Les efforts que ça m'a **coûtés**...* |
| *Les 2 kilomètres que j'ai **marché**...* | *Les risques que j'ai **courus**...* |

*Six kilos de pommes que j'ai **acheté** ...* (Combien de kilo... ?), does not
agree.
*Six pommes que j'ai **mangées** ...* (... mangé quoi ?), agrees.

**Eu** does agree with the objects coming before it.

**Été** does not agree with the objects coming before it.

*Quelle chance que tu <u>as</u> **eue** !*

*Quelles options <u>ont</u> **été** proposées ?*

**Exercises**

**A. Complete the sentences with verb être. Use the correct agreement.**

Ils sont ... ... ... (arriver). – *Ils sont **arrivés**.*

1. Elle s'est ... ... ... ... ... ... ... (laver).

2. Souvent, ils se sont ... ... ... ... ... ... ... ... (regarder).

3. Nous nous sommes ... ... ... ... ... ... ... (parler) tous les soirs.

4. Elle s'est ... ... ... ... ... ... ... (apercevoir) dans la glace.

5. Vous vous êtes ... ... ... ... ... ... ... (plaire).

6. Je me suis ... ... ... ... ... ... ... (couper) les ongles.

7. Je me suis ... ... ... ... ... ... ... (rendre) compte que j'avais trompé le numéro.

8. Elle s'est ... ... ... ... ... ... ... (demander) où elle va passer ses vacances.

9. Elle s'est ... ... ... ... ... ... ... (imaginer) que je ne suis pas venu.

10. Nous nous sommes ... ... ... ... ... ... ... (permettre) de dormir toute la matinée le dimanche.

**B. Complete the sentences with verb avoir. Use the correct agreement.**

Elle a **mangé** <u>une pomme</u>. Elle **l'**a **mangée** en marchant.

1. La maison que j'ai ... ... ... ... ... ... ... (acheter) est petite.

2. J'ai ... ... ... ... ... ... ... (acheter) une petite maison.

3. Les deux appartements qu'il a ... ... ... ... ... ... ... (visiter) sont trop petits.

4. Il a ... ... ... ... ... ... ... (visiter) deux appartements.

5. Les 12 kilomètres que j'ai ... ... ... ... ... ... ... (courir) m'ont fatigué.

6. Les risques qu'elle a ... ... ... ... ... ... ... (courir) sont assez grands.

7. Deux kilogrammes de sucre lui ont ... ... ... ... ... ... ... (coûter) moins d'un euro.

# PART TEN, Day 68 – Verb (tenses): when "past participle" does/does not agree (2)

*La voiture que j'ai **vue** <u>passer</u>.* The <u>past participle</u> (vue) agrees with the <u>active subject</u> (la voiture) of the <u>infinitive</u> (passer).
*<u>Les chiens</u> que j'ai **entendus** <u>aboyer</u>.*
*<u>Les bruits</u> que j'ai **entendu** <u>passer</u> dehors.* (It's not "les bruits" but something else who passes by, so does not agree with "les bruits".)
*Des lapins que j'ai **vu** <u>tuer</u> par des aigles …*
*Des aigles que j'ai **vus** <u>tuer</u> des lapins …*
*Des joueurs de foot que j'ai **regardés** <u>jouer</u> à la télé …*
*Des matchs de foot que j'ai **regardé** <u>jouer</u> à la télé …*
*Les morceaux de pain que j'ai **laissé** <u>manger</u> par des pigeons …*
*Les morceaux de pain que j'ai **laissés** <u>tomber</u> …* (Les morceaux de pain tombent…)

*Une bicyclette que j'ai **fait** <u>réparer</u>.* The past participle (fait) does not agree with the <u>passive subject</u> (we do not know who repaired the bicycle) of the <u>infinitive</u> (réparer).
*Les cheveux qu'elle a **fait** couper …*

*Les deux gâteaux d'anniversaire que j'ai **fait** <u>faire</u> …*
Does not agree with any verbal expression of <u>faire faire</u>, <u>faire réparer</u>, <u>faire couper</u> (to have made, to have repaired, to have cut), etc.
*La machine que j'ai **fait** réparer m'a couté peu.* ~~La machine que j'ai faite réparer…~~

*Ils se sont **fait** surprendre.* <u>Se faire</u> + <u>infinitive</u> is passive, and therefore does not agree with the <u>past participle</u>.
*Elle s'est **fait** <u>voler</u>.*
*Le lapin s'est **fait** <u>tuer</u> par l'aigle.*

*Il a **fait**… Elle a **pris**…* (do not know what is made or taken, so does not agree).
*Il a **mangé** tous les plats qu'a **voulu** (manger).* (here the verb does not repeat, the part in the brackets is only implied)
*Elle a **pris** tous les jours de congés qu'elle a **pu** (prendre).*

*J'ai les deux livres qu'on m'a **laissés à** <u>lire</u>.* Even the object of the

agreement becomes clear before the <u>past participle</u>, the structure
**laissé à/donné à/eu à** + <u>infinitive</u> both may or may not agree. All of
the following sentences are considered to be correct:
*J'ai les deux livres qu'on m'a **laissés à** <u>lire</u>.*
*J'ai les deux livres qu'on m'a **laissé à** <u>lire</u>.*
*J'ai fini les deux articles qu'on m'a **demandés à** <u>écrire</u>.*
*J'ai fini les deux articles qu'on m'a **demandé à** <u>écrire</u>.*
The problem in the above sentences is that we cannot avoid
hearing a vague sense of passivity or being impersonal, since the
true <u>impersonal</u> structures, such as *Il fait chaud !*, do not agree as in
the sentence below:
*As-tu senti <u>la chaleur</u> qu'<u>il</u> a **fait** hier ?*

*J'ai fini <u>les deux articles sur le réchauffement climatique</u> que <u>tu m'as</u>*
***demandés** à écrire.* (We see no problem here.)

**Exercises**
**A. Use the correct agreement with the verb in brackets.**
*La chanson que j'ai **entendu** chanter par des ados ...*
1. La voiture que j'ai …………… passer dans la rue a été rouge. (voir)
2. Une voiture que j'ai …………… conduire par une dame en rouge a
été grande. (voir)
3. La musique que j'ai ………………… jouer par musicien a été si
belle ! (entendre)
4. Les musiciens que j'ai ………………… jouer au concert sont très
connus. (entendre)
5. Les dangers que j'ai ………… guetter ont été palpables. (sentir)
**B. Use the correct agreement with the verb(s) in brackets.**
*Ma coiffure que j'ai **fait** faire hier...*
1. La coiffure qu'elle a …………… faire lui va très bien. (faire)
2. L'un des deux vélos que j'ai …………… réparer est cassé à nouveau.
(faire)
3. Ils se sont ………… voler dans une gare. (faire)
4. Il a ………… tout ce qu'il a ………… avec l'argent qu'il a eu sur
lui. (acheter/pouvoir)
5. J'ai fini de lire tous les livres qu'on m'a ………………… lire. (laisser
à)

# PART TEN, Day 69 – Verb (tenses): negation, ne ... pas

There are two types of wording in negation, (1) **ne... pas, ne... plus, ne... jamais, ne... rien, ne... guère, ne... toujours pas, ne... pas encore, ne... pas toujours** wrap around the verb (Il **ne** prend **pas** la viande.) or the auxiliary (ils **ne** sont **pas** arrivés...) and (2) **ne... personne, ne... aucun, ne... nulle part** are placed before and after (je **ne** les ai vu **nulle part**...), not between the auxiliary and the verb.

**1. ne... pas, ne... plus, ne... jamais, ne... rien, ne... guère, ne... toujours pas, ne... pas encore, ne... pas toujours**
*Il ne mange pas la viande.*
*Il ne mange plus la viande.* (=he used to eat meat, but not any longer)
*Il n'a jamais fumé.*
*Il ne mange rien depuis ce matin.*
*Il n'a guère mangé depuis qu'il est tombé malade.*
*Il ne mange toujours pas.* (he is not eating yet)
*Il ne mange pas encore.* (he has intention to eat)
*Il ne mange pas toujours.* (he sometimes eats, sometimes not)

**2. ne... personne, ne... aucun, ne... nulle part**
*Il ne connaît personne.*
*Il n'a rencontré personne.*
*Il n'a aucun problème.*
*Il n'a eu aucun problème.*
*Elle ne va nulle part.*
*Elle n'est allée nulle part.*

Extended negation: **ne... ni... ni.../ni... ni... ne, sans... ni/pas de... ni de, sans** un mots..., **sans...** (infinitive) **ni...** (infinitive)
*Il ne fume ni la cigarette ni la chicha.*
*Ni la cigarette ni la chicha ne lui intéresse.*
*Vous prenez votre café <u>avec</u> du sucre ou <u>avec</u> du miel ? – Je le prends*

*sans* sucre **ni** *miel.*

*Je* **n'ai pas de** *femme* **ni** *d'enfant.*

*Il part toujours* **sans** *un mot.*

*Il va et vient* **sans** *dire bonjour* **ni** *faire un geste.*

## Exercises

### A. Place the negation in the right places.

Depuis la semaine dernière, il ... parle (ne... pas). – *Depuis la semaine dernière, il* **ne** *parle* **pas**.

1. Pendant une heure, il ... ... a dit un mot. (ne... pas) ............................
.......................................................................................................
...............

2. Elle ... ... connaît à Londres. (ne... personne) ...............................
.......................................................................................................
............

3. Le bus ... ... est arrivé. (ne... toujours pas) ....................................
.......................................................................................................
...............

4. Elle ... ... a rencontré depuis ce matin. (ne... personne) ...............
.......................................................................................................
...............

5. Laisse son plat sur la table, s'il te plaît. Il ... ... a mangé. (ne... pas encore) ..............................................................................................
.......................................................................................................
...............

6. Ce matin il a mangé. Mais, il ... ... mange. (ne... pas toujours) ........
.......................................................................................................
...............

7. Elle ... ... est allée ce matin et elle ... ... a mangé. (ne... null part, ne... guère) ............................................................................................
.......................................................................................................
..................

8. Il ... ... a fumé la chicha. (ne... jamais) .........................................
.......................................................................................................
...............

9. Il ... ... a eu problème. (ne... aucun) ...............................................
.......................................................................................................
...............

10. Elle ... ... a mangé et elle ... ... est partie. (ne... rien, ne... null part)
.......................................................................................................
...............

### B. Use one of these phrases (repeat if used more than once); ne...

## ni... ni, Ni... ni... ne..., sans... sans...

Je ... ... suis triste/malheureux. - *Je **ne** suis **ni** triste **ni** malheureux.*

1. Il ... ... est beau/drôle. ... ... ... ... ... ... ... ... ... ... ... ... ... ... ... ... ... ... ... ...
... ... ...

2. ... ... la beauté/la drôlerie lui appartient. ... ... ... ... ... ... ... ... ... ... ... ... ...
... ... ... ... ... ... ... ... ... ... ... ... ... ... ... ... ... ... ... ... ... ... ... ... ... ... ... ... ... ... ...
... ... ... ...

3. Elle est partie ... ... dire merci/dire bonsoir. ... ... ... ... ... ... ... ... ... ... ... ...
... ... ... ... ... ... ... ... ... ... ... ... ... ... ... ... ... ... ... ... ... ... ... ... ... ... ... ...
... ... ... ... ...

# PART TEN, Day 70 – Verb (tenses): negation as subject (*Rien ne fonctionne.*) and with infinitive (*Ne rien faire.*)

Negation as subject: *Rien ne fonctionne !*
The negation phrases, **Rien ne, Personne ne...** are placed at the beginning of sentences.
*Personne ne répond au téléphone.*
*Rien ne se passe. Rien ne manque.*
*Aucun ne se ressemble. Aucun ne fonctionne.* (**aucun ne**=none)
*Nul ne saurait. Nul ne peut nier.* (**nul ne**=nobody)
*Nul ne vous dira de quoi faire.*

Negation with infinitive: *Ne rien faire.*
Ones placed before the infinitive: **ne pas...,  ne plus... , ne rien... , ne guère... , ne jamais...**
*Ne pas fumer dans le train.*
*Ne plus supporter la chaleur.*
*Ne rien dire. Ne rien lâcher.*
*Ne guère comprendre.*
*Ne jamais renoncer.*
Ones places after the infinitive: (ne...) **personne**, (ne...) **nulle part**, (ne...) **aucun**
*Ne rencontrer personne.*
*N'aller nulle part.*
*N'avoir aucun problème.*
Situations in which the location of negation around the infinitive differs or depends:
*Je regrette de ne pas être disponible.* (standard usage)
*Je regrette de n'être pas disponible.* (literary usage)
*Je suis désolé de ne pas être venu plus tôt.* (standard usage)
*Je suis désolé de n'être pas venu plus tôt.* (literary usage)
With complementary pronouns:
*Je ne le regarde pas. Je ne les regarde pas.* (conjugated verb)

*Je **ne** l'ai **pas** regardé. Je **ne** les ai **pas** regardé.* (passé composé)

***Ne** le regarde **pas** ! **Ne** les regarde **pas** !* (imperative)

*Je regrette de **ne pas** lui/leur demander.* (infinitive)


A word/phrase which only sounds negative:

***Jamais*** (=ever, when used without *ne*) : *C'est le meilleur livre que j'aie **jamais** lu. As-tu **jamais** pensé à changer de pays ?*

To propose or ask something:

*Vous **n'**auriez **pas** une cigarette, s'il vous plaît ? – Si.*

*Tu **n'**as **pas** envie de manger avec moi ? – Je viens de manger, mais je vais boire quelque chose avec toi.*

Below are some spoken phrases which only sound negative:

***Pas terrible*** (=poor/dediocre)

***Pas mauvais(e)*** (=good)

***Pas bête*** (=intelligent)


**Exercises**

**A. Negation as subject: fill in the gap with one of these phrases; aucun ne, rien ne, nul ne, personne ne**

… … … être obligé. – ***Rien n'**est obligé.*

1. … … … … … … … dire un mot.

2. … … … … … … … fonctionner plus.

3. … … … … … … … être obligatoire.

4. … … … … … … … savoir ce qui va se passer.

5. … … … … … … … être perdu.

**B. Put the negations in brackets in the correct location(s)**

… … … sortir de chez soi (ne plus) - ***Ne plus** sortir de chez soi.*

… … … aller (ne... nulle part) - ***N'**aller **nulle part.***

1. … … … … … … … réveiller le bébé (ne pas)

2. … … … … … … … pouvoir chanter (ne plus)

3. … … … … … … … chercher (ne... nulle part)

4. … … … … … … … précipiter (ne jamais)

5. … … … … … … … progresser (ne guère)

6. … … … … … … … insulter (ne... personne)

7. … … … … … … … manger (ne rien)

8. … … … … … … … avoir idée en tété (ne... aucun)

**C. Complete the following two sentences according to their**

**different usages**

1. Nous regrettons de ........................... avoir plus de place. (**ne pas**, standard usage)

2. Nous regrettons de ............................... avoir plus de place. (**ne pas**, literary usage)

# - PART ELEVEN -

**VERB: moods** (ways of expressing/speaking)

# PART ELEVEN, Day 71 – Verb: formation of the subjunctive

A quick reminder of the formation of <u>the subjunctive</u>:

| Subject | The <u>present</u> subjunctive | | | |
|---|---|---|---|---|
| | **Regarder** | **Être** | **Faire** | **Vouloir** |
| que je(') | regard**e** | sois | fasse | veuille |
| que tu | regard**es** | sois | fasses | veuilles |
| qu'il/elle | regard**e** | soit | fasse | veuille |
| que nous | regard**ions** | soyons | fassions | voulions |
| que vous | regard**iez** | soyez | fassiez | vouliez |
| qu'ils | regard**ent** | soient | fassent | veuillent |
| | **Voir** | **Avoir** | **Savoir** | **Envoyer** |
| que je(') | voi**e** | aie | sache | envoie |
| que tu | voi**es** | aies | saches | envoies |
| qu'il/elle | voi**e** | ait | sache | envoie |
| que nous | voy**ions** | ayons | sachions | envoyions |
| que vous | voy**iez** | ayez | sachiez | envoyiez |
| qu'ils | voi**ent** | aient | sachent | envoient |
| | **Écrire** | **Aller** | **Pouvoir** | **Mettre** |
| que je(') | écriv**e** | aille | puisse | mette |

| que tu | écri**ves** | ailles | puisses | mettes |
|---|---|---|---|---|
| qu'il/elle | écri**ve** | aille | puisse | mette |
| que nous | écriv**ions** | allions | puissions | mettions |
| que vous | écriv**iez** | alliez | puissiez | mettiez |
| qu'ils | écriv**ent** | aillent | puissent | mettent |

| Subject | The <u>past</u> subjunctive | | |
|---|---|---|---|
| | **Regarder** | **Être** | **Avoir** |
| que je(') | aie regard**é** | aie été | aie eu |
| que tu | aies regard**é** | aies été | aies eu |
| qu'il/elle | ait regard**é** | ait été | ait eu |
| que nous | ayons regard**é** | ayons été | ayons eu |
| que vous | ayez regard**é** | ayez été | ayez eu |
| qu'ils | aient regard**é** | aient été | aient eu |

| Subject | The <u>imparfait</u> subjunctive | | |
|---|---|---|---|
| | **Regarder** | **Être** | **Avoir** |
| que je(') | regardasse | fusse | eusse |
| que tu | regardasses | fusses | eusses |
| qu'il/elle | regardât | fût | eût |
| que nous | regardassions | fussions | eussions |

| que vous | regardassiez | fussiez | eussiez |
| qu'ils | regardassent | fussent | eussent |

| Subject | The <u>plus-que-parfait</u> subjunctive | | |
| --- | --- | --- | --- |
| | **Regarder** | **Être** | **Avoir** |
| que je(') | eusse regardé | eusse été | eusse eu |
| que tu | eusses regardé | eusses été | eusses eu |
| qu'il/elle | eût regardé | eût été | eût eu |
| que nous | eussions regardé | eussions été | eussions eu |
| que vous | eussiez regardé | eussiez été | eussiez eu |
| qu'ils | eussent regardé | eussent été | eussent eu |

**Exercises**

**A. The <u>present</u> subjunctive**

1. Je voudrais **que** nous … … … … … … … … … … … attentivement. (regarder)

2. J'aimerais **que** nous … … … … … … … … … … plus clairement. (voir)

3. J'exige **que** tu … … … … … … … … … … … bien. (écrire)

4. J'ordonne **que** nous … … … … … … … … … … à l'heure. (être)

5. Je doute **qu'**il … … … … … … assez compétence pour faire ce travail. (avoir)

6. J'ai peur **qu'**elle … … … … … … … … … … (aller)

7. Je souhaite **que** vous me … … … … … … … … … … … … le colis. (envoyer)

8. Je désire **que** vous … … … … … … … … … … … m'accompagner. (vouloir)

9. Je redoute **qu'**il … … … … … … … … … … … quelque chose mauvais. (faire)

**B. The <u>past</u> subjunctive**

1. J'ai voulu **que** nous … … … … … … … … … … … attentivement.

(regarder)

2. J'ai souhaité **que** nous ................................. plus claires. (être)

3. J'ai exigé **que** tu ............................... des réponses. (avoir)

**C. The <u>imparfait</u> subjunctive**

1. Je voulais **que** nous ............................... attentivement. (regarder)

2. Je souhaitais **que** nous .............................. plus claires. (être)

3. J'exigeais **qu'**il ............................... des réponses. (avoir)

**D. The <u>plus-que-parfait</u> subjunctive**

1. J'avais voulu **que** nous ............................... attentivement. (regarder)

2. J'avais souhaité **que** nous .............................. plus claires. (être)

3. J'avais exigé **qu'**il ............................... des réponses. (avoir)

# PART ELEVEN, Day 72 – Verb (objective v. subjunctive): Je pense qu'il est… J'aimerais qu'il soit…

We will be calling here the French indicative tense as objective in **objective** v. **subjunctive** *in order to highlight the "contrast" between them* for the learner.

Objective: *Je crois **qu'il va pleuvoir**.* (=seen <u>objectively</u>, what is going to happen does not depend the speaker)
Subjunctive: *J'aimerais **qu'il pleuve**.* (=seen <u>subjectively</u>, the wished-for action is thought by the speaker)

| Objective: | Subjunctive: |
|---|---|
| independent from the speaker | action imagined by the speaker |
| *Je pense qu'il va faire chaud.* | *Je voudrais qu'il **fasse** chaud.* |
| *Je suis sûr qu'elle va revenir.* (=she told me so) | *J'aimerais qu'elle **revienne**.* |
| *Je décide que…, Je constate que…,* *Je juge que…, J'observe que…,* *J'estime que…, Je sens que…,* *Je crois que…, J'espère\* que…,* *Je suppose qu'il va pleuvoir.* (=I have seen the weather report) | *Je redoute que…, J'ai peur que…,* *Je doute que…, Je désire que…,* *J'exige que…, Je souhaite que…,* *J'ordonne que…, Je voudrais que…,* *Je doute qu'on **fasse** quelque chose.* (=mainly based on what the speaks feels) |

\* *J'espère **qu'il pleut**.* (=with the verb "espérer", the speaker thinks there is <u>more than</u> 50% chance so it becomes "objective")

*Je pense **qu'il va faire** quelque chose, comme toujours.*

*Je doute qu'il **fasse** quelque chose. Il est trop paresseux.*

Particular verbs used both <u>objectively</u> and <u>subjectively</u>

**Admettre, comprendre, dire, écrire, téléphoner, expliquer, sembler, (se) douter, attendre, s'attendre à**

| Objective: it's <u>true</u>. | Subjunctive: it's <u>possible</u>. |
| --- | --- |
| *J'**admets** que c'est difficile.* | *J'**admets** qu'il soit difficile.* |
| *Il nous **explique** qu'ils n'ont plus de place.* (=declaration) | ***Expluque**-lui qu'on n'ait plus de place.* (=order) |
| *Il **me semble** qu'il fait beau.* (=I find that… ) | *Il **semble** qu'il fasse beau.* (=One might say that… ) |
| *Je **me doute** qu'il est efficace.* (=I think that… ) | *Je **doute** qu'il soit efficace.* (=I doubt that… ) |
| *J'**attends** que le train arrive dans quelques minutes.* | *Je **m'attends à** ce qu'il soit beau dehors.* |

Après une bonne nuit, on ne sera plus fatigué. – *Je **m'en doute**./Je n'**en doute pas**.* (=I am almost certain that it will be the case.) J'ai trouvé une solution ! – *Je **m'en doutais** ! Tu as toujours trouvés des solutions.*

**Sans aucun doute > sans doute > redouter** (=100% certitude > perhaps > to have doubts/fears, in other words: objective > objective > subjunctive)
*Il nous téléphonera **sans aucun doute**.*
*Il nous téléphonera **sans doute**.*
*Je **redoute** qu'il nous **téléphone**.*

**Exercises**
**A. Objective v. subjunctive. Choose the correct verb/phrase.**
Je décide **qu**'on (va partir/parte). – *Je décide **qu'on parte**.*
1. J'espère **qu**'il (pleut/pleuve). - …………………………………………………
………
2. Je redoute **que** l'on le (sait/sache). - ………………………………………
………………………………………………………………………………

… … … … … .

3. Je juge **que** … (ce soit vrai/c'est vrai). … … … … … … … … … … … … … …
… … … … … … … … … … … … … … … … … … … … … … … … … … … … … … … … … … … …
… … … … … … .

4. Je sens **que** je progresse. – *objective* or *subjunctive*? … … … … … … … …
… … … … … … … … … … … … … … … … … … … … … … … … … … … … … … … … … …
… … … … … … … … … … … … … … … … … … … … … … … … … … … … … … … … … …
… … … … … … … … .

5. Je souhaite **que** tu (est à mon côté/sois à mon côté). - … … … … … … … …
… … … … … … … … … … … … … … … … … … … … … … … … … … … … … … … … …
… … … … … …

6. Je suppose **qu'**il (a raison/ait raison). - … … … … … … … … … … … … … …
… … … … … … … … … … … … … … … … … … … … … … … … … … … … … … … …
… … … … … …

**B. Choose either "objective" or "subjunctive" with the proposed verb(s)**

*(Douter) Je **doute** qu'il **se souvienne** de nous.*

(Se douter) *Je **me doute** qu'il **se souviendra** de nous.*

1. (Se sembler) Il **me semble** qu'il … … … (va réussir/réussisse). … … …
… … … … … … … … … … … … … … … … … … … … … … … … … … … … … … … …
… … … … … …

2. (Sans aucun) **Sans aucun doute** qu'il … … … (va réussir/réussisse). … … … … … … … … … … … … … … … … … … … … … … … … … … … … … … … … .
… … … … … … … … … … … … … … … .

3. (Redouter) Je **redoute** qu'il … … … (va réussir/réussisse). … … … … … …
… … … … … … … … … … … … … … … … … … … … … … … … … … … … … …
… … … … … …

# PART ELEVEN, Day 73 – Verb (Subjunctive continue 1): **Imaginons qu'il fasse beau demain...**

We may convert an <u>objective</u> statement into <u>subjunctive</u> by inserting a doubt or by questioning the validity of the statement:
*Je pense qu'il **est** facile à faire.* (but...)
*Je ne pense pas qu'il **soit** facile à faire.* (or)
*Penses-tu qu'il **soit** facile à faire ?*

When used with adjectives of <u>moral</u>, a statement becomes subjunctive:
*Je trouve que des gens **sont** heureux.* (but...)
*Je trouve <u>normal</u> que des gens **soient** heureux.*
*Je pense qu'elle **est** charmante.* (but...)
*Je pense <u>ridicule</u> qu'elle **soit** comme ça, avec ces habits <u>ridicules</u>.*
*Il **a** du succès.* (but...)
*Je pense <u>normal</u> qu'il **ait** du succès.*

With suppositions:
*On espère qu'il **fera** beau demain.* (but...)
*<u>Imaginons</u> qu'il **fasse** beau demain...*
*Il n'**a** pas eu le succès qu'il l'a espéré.* (but...)
*<u>Supposons</u> qu'il **ait** le succès qu'il l'a espéré...*
*<u>En supposant</u> qu'il **ait** le succès qu'il l'a espéré...*
*<u>À supposer</u> qu'il **ait** le succès qu'il l'a espéré...*
*<u>Admettons</u> qu'il **ait** le succès qu'il l'a espéré...*
*<u>En admettant</u> qu'il **ait** le succès qu'il l'a espéré...*

With <u>ralative clauses</u>:
*C'est vrai qu'il **a** du succès.* (but...)
*<u>Qu'il</u> **ait** du succès, c'est vrai.*
*Je pense qu'elle **est** charmante.* (but...)
*<u>Qu'elle</u> **soit** charmante, c'est affirmatif.*

*Le plan, <u>c'est que</u> nous **partions** tous en vacances pour la fin de semaine.*

*La surprise, <u>c'est qu'</u>il **puisse** dormir debout.*

<u>Objective</u> stays <u>objective</u>, when used with <u>negative</u> or <u>future simple</u>:

*Je <u>ne</u> pense <u>pas</u> qu'il **a** du succès.*

*C'est possible qu'il **viendra** demain.*

**Exercises**

**Turn the following sentences into "subjunctive" with the suggested words/phrases in brackets. Follow the given example if needed.**

*Je pense qu'il **est** sympathique. – Mais non, au contraire. (ne pas) Je **ne** pense **pas** qu'il **soit** sympathique.*

1. Je pense qu'elle **est** jolie. – *Oh vraiment ? Penses-tu … … … … … … … … … … … … … … … … … … … … … … … … … … … … … … … … … … … … … … … … … … … … … … …*

2. Tous les jours, il **promène** jusqu'à la rivière. – *Mais oui. Je trouve ça <u>normal</u> que … … … … … … … … … … … … … … … … … … … … … … … Il a mal aux jambes sinon.*

3. Ils sont divorcés, mais ils **vivent** ensemble. – *Je trouve <u>absurde</u> qu'ils … … … … … … … … … … … … … … … … … … … … … … après le divorce.*

4. Il a beaucoup du succès. – *Mais c'est <u>normal</u> qu'il … … … … … … … … … … … … … … … … … … … … … … … … … Il travaille beaucoup.*

5. Aujourd'hui il fait beau. – *<u>Imaginons</u> que demain aussi qu'il … … … … … … … … … … … … … … … … … … … … … … … … … … … … … beau.*

6. Emma est très charmante ! – *Ah ça oui ! Qu'elle … … … … … … … … … … … … … … … … … … … … … … … … … … charmante, c'est ce que tout monde dit.*

7. J'entends que tu pars en vacances lundi. Je te souhaite de bonnes vacances ! - *Ce qui est dommage, c'est que je ne … … … … … … … … … … … … … … … … … … … … … … … … … … … plus.*

# PART ELEVEN, Day 74 – Verb (Subjunctive continue 2): Il faut que... Il est vrai que... (the impersonal)

**Il faut que**... etc + the subjunctive, <u>the impersonal</u> dictates the situation/circumstance: *Il faut qu'je parte.*
**Il faut que.../Il vaut mieux que.../If suffit que...**
*Il vaut mieux qu'on **soit** prudent.*
*Il suffit que tu **sois** là.*
**Il se peut que.../Il arrive que.../Il est rare/fréquent que.../Il y a des chances que...**
*Il se peut que l'on **ait** de la chance de gagner au Loto.*

With **Il est**+adjective, the subjunctive depends on degree of probability:
(+50%) ***Il est** certain/sûr/for probable **qu'il sera** là cet après-midi.*
(-50%) ***Il est** possible/incertain/peu probable **qu'il soit** là cet après-midi.*
Adjectives of appreciation + the subjunctive:
***Il est** <u>étonnant/honteux/normal</u> **qu'il doive** rester seul.*
Verbs of sensation + the subjunctive:
***Cela** nous <u>ennuie/déprime/agace</u> **qu'il doive** rester seul.*

**Que le ciel fasse que...** or **Fasse le ciel que...** (pray)
*Que le ciel fasse qu'/Fasse le ciel qu'il **revienne** sain et sauf.*
**Que** le beau temps **vienne !** / **Vienne** le beau temps ! (wish)
**Qu'**il **parte !** / **Il faut qu'**il **parte !** (order)

**Exercises**
**A. The impersonal + the subjunctive**
**Il faut que** tu ... ... ... (venir). - *Il faut que tu **viennes**.*
1. **Il faut que** je ... ... ... ... ... ... ... ... ... maintenant. (partir)
2. **Il vaut mieux que** vous ... ... ... ... ... ... ... ... dans les endroits plus sûrs. (rester)

3. **Il suffit qu**'on … … … … … … … … sur ce bouton pour l'allumer. (appuyer)

4. Prends un parapluie ! **Il se peut qu**'il … … … … … … … … dans les heures qui viennent. (pleuvoir)

5. **Il arrive que** nous … … … … … … … … tous d'accord. (ne pas être)

6. **Il est rare qu**'il … … … … … … … … à un examen. (échouer)

7. **Il y a des chances que** je … … … … … … … … chez mois dans la soirée. (ne pas être)

**B. Il est ...** + <u>adjective</u>

**Il est** sûr **qu**'il … … … … (venir) - *Il est sûr qu'il **vient**.*

1. **Il est** <u>normal</u> **qu**'elle … … … … … … … … gentille avec moi. (être)

2. **Il est** <u>honteux</u> **qu**'elle … … … … … … … … venir avec nous. (ne pas pouvoir)

3. **Il est** possible **qu**'elle … … … … … … … … venir avec nous. (-50%) (vouloir)

4. **Il est** possible **qu**'elle … … … … … … … … sortir avec nous. (+50%) (vouloir)

5. **Cela** m'<u>agace</u> **qu**'on me … … … … … … … … des mensonges. (raconter)

# PART ELEVEN, Day 75 – Verb (Subjunctive continue 3): Je cherche une personne QUI comprenne l'espagnol (the relative subordinate)

**The subjunctive relative** expresses things that are; 1. <u>possible</u>, 2., <u>rare</u>, and 3. <u>one and only</u>

1. <u>possible</u>

*Je cherche un appartement **qui ait** trois chambres avec un loyer mensuel moins de 800 euros.*

*Est-ce qu'il a quelqu'un **qui puisse** parler cinq langues dans cette salle ?*

*J'aimerais manger dans un restaurant **qui serve** des plats italiens.*

2. <u>rare</u>

*Tu connais quelqu'un **qui sache** parler cinq langues ?*

*Ce n'est pas tous les jours que l'on voit une fille **qui soit** aussi belle qu'elle.*

*C'est rare de nos jours de trouver une personne **qui aide** les autres comme toi.*

3. <u>one and only</u>

*Dans notre système solaire, le soleil est l'étoile <u>la plus brillante</u> **qui soit**.*

*Justin parle cinq langues couramment. Il est <u>le seul</u> **qui connaisse** autant de langues parmi nous.*

*Madame Bovary de Gustave Flaubert, c'est <u>l'unique livre</u> **que j'aie lu** de cet auteur.*


When <u>not</u> to use the subjunctive (with the relative subordinate)

1. with what is <u>real</u>

*Je connais une personne **qui peut** nous aider.*

*Je connais un pays **où** les gens **parlent** principalement le français.*

*L'appartement que j'ai visité hier, **qui a** trois chambres, coûte 1500 euros le loyer mensuel.*

2. when used <u>without</u> the relative subordinate

*Le plus brillante étoile dans notre système solaire **est** le soleil.*

*Toi seul **aide** tout le monde.*

| **Le fait <u>est</u> que** + objective | **Le fait que** + subjunctive |
|---|---|
| *Le fait est qu'on est dimanche.* | *Le fait qu'on soit dimanche.* |
| *Le fait est qu'on doit partir.* | *Le fait qu'on doive partir.* |

**Exercises**

**Use "the objective" and "the subjunctive" correctly. Follow the given example.**

J'ai envie d'aller dans un endroit où je … … … (pouvoir) me détendre pour un jour ou deux. – *J'ai envie d'aller dans un endroit où je **puisse** me détendre pour un jour ou deux.*

1. Est-ce que tu connais des gens qui … … … (vivre) dans des fermes ?

… … … … … … … … …… … … … … … …… … … … … … … … … … … … … … …… … … … … …
… …… …… … … … … … …… … … … … … … … … … … … … …… … … … … … …… … …
… … … … … …

2. As-tu lu Guy de Maupassant ? – Le seul livre de lui que je … … …
(avoir lu) est *Bel-Ami.*

… … … … … … … … …… … … … … … …… … … … … … … … … … … … … … …… … … … … …
… …… …… … … … … … …… … … … … … … … … … … … … …… … … … … … …… … …
… … … … … …

3. Je connais une personne qui … … … (vivre) dans un village, mais je ne connais personne qui … … … (vivre) dans une ferme.

… … … … … … … … …… … … … … … …… … … … … … … … … … … … … … …… … … … … …
… …… …… … … … … … …… … … … … … … … … … … … … …… … … … … … …… … …
… … … … … …
… … … … … … … … …… … … … … … …… … … … … … … … … … … … … … …… … … … … …
… …… …… … … … … … …… … … … … … … … … … … … … …… … … … … … …… … …
… … … … … …

4. Qui, parmi les humains, a vécu le plus longtemps ? – Selon *Le Mondial des Records Guinness*, l'homme qui a vécu le plus longtemps … … … (avoir été) Jeanne Louise CALMENT. Il est mort à l'âge de 122 ans et 164 jours.

… … … … … … … … …… … … … … … …… … … … … … … … … … … … … … …… … … … … …
… …… …… … … … … … …… … … … … … … … … … … … … …… … … … … … …… … …
… … … … … …
… … … … … … … … …… … … … … … …… … … … … … … … … … … … … … …… … … … … …
… …… …… … … … … … …… … … … … … … … … … … … … …… … … … … … …… … …
… … … … … …

5. Connais-tu un pays où tout le monde … … … (pouvoir) parler le

français ? – Oui, je connais un pays où tout le monde … … …
(pouvoir) parler le français.

… … … … … … …….. … … … … … …….. … … … … … … … …….. … … … … … … … …….. … … … … …

… …. …….. … … … … … …….. … … … … … … … …….. … … … … … … … …….. … … …

… … … … ….

… … … … … … …….. … … … … … …….. … … … … … … … …….. … … … … … … … …….. … … … … …

… …. …….. … … … … … …….. … … … … … … … …….. … … … … … … … …….. … … …

… … … … ….

# PART ELEVEN, Day 76 – Verb (Subjunctive continue 4): **avant que l'été soit arrivé** (subjuctive with time relative)

The subjunctive is used in time relative subordinates; **avant que, jusqu'à ce que, en attendant que,** when the principal action comes before it (1) or, with time delay till the target action (2).

*Vérifie tout **avant que** tu t'en **ailles**. (1)*

***D'ici que** tu **termines** la conversation téléphonique, ton plat sera froid. (2)*

*Dépêchez-vous **avant que** ça ne' **soit** trop tard. (1)* ('The single ne is not negative, used after verbs of fear; redouter, appréhender, craindre, avoir peur... or before adverbial phrases; trop grand, trop loin, trop fort, trop optimiste, trop copieux...)

*Je vais aller pour une promenade **en attendant qu'**ils **reviennent**. (1)*

*Ton plat sera froid **jusqu'à ce que** tu **termines** la conversation téléphonique. (1)*

*Ne partez pas, **le temps que** je **termine** mon plat. (2)*

***D'ici que/D'ici à ce que** nous **finissions** ce travail, ça sera minuit. (2)*

We combine two propositions with the infinitive when both subjects are the same, *J'ai terminé la conversation **avant de** manger.* **Jusqu'à ce que** is an exception:

*J'ai parlé au téléphone **jusqu'à ce que** j'**aie eu** plus rien à dire.*

With phrases meaning during or after; **tant que, aussi longtemps que, après que, une fois que, dès que, aussitôt que, à peine... que, après avoir mangé/fini/fait,** we use the objective:

***Tant que** tu es là, j'**ai** des choses à te raconter.*

***Aussitôt qu'**elle est partie, je me **sens** seul.*

Compare:

*Tu ne pourras pas manger **tant que** tout le monde ne sera pas à table.* (tant que=while)

*Je te demande d'attendre **jusqu'à ce que** tout le monde soit à table.*

**Exercises**

**Use "the objective" and "the subjunctive" correctly. Follow the given**

**example and the phrases** highlighted **in bold.**

Attends-moi **jusqu'à ce que** je ... ... ... (finir) mon plat. - *Attends-moi jusqu'à ce que je finisse mon plat.*

1. Bois ce jus de fruits **avant que** tu ... ... ... (partir)

... ... ... ... ... ... ... ... ... ... ... ... ... ... ... ... ... ... ... ... ... ... ... ... ... ... ... ... ... ... ... ...

... ... 2. **Aussitôt que** je suis arrivé chez moi, je me ... ... ... (se coucher)

... ... ... ... ... ... ... ... ... ... ... ... ... ... ... ... ... ... ... ... ... ... ... ... ... ... ... ... ... ... ...
... ...

3. Je lis un journal **en attendant que** le train ... ... ... (arriver)

... ... ... ... ... ... ... ... ... ... ... ... ... ... ... ... ... ... ... ... ... ... ... ... ... ... ... ... ... ...
... ...

4. **Tant que** tu es là, je ... ... ... (être) content.

... ... ... ... ... ... ... ... ... ... ... ... ... ... ... ... ... ... ... ... ... ... ... ... ... ... ... ... ... ... ...
... ...

5. **D'ici que** nous ... ... ... (arriver) à la gare, le train sera parti.

... ... ... ... ... ... ... ... ... ... ... ... ... ... ... ... ... ... ... ... ... ... ... ... ... ... ... ... ... ...
... ...

6. **Après avoir mangé** le déjeuner, je ... ... ... (partir) pour une promenade.

... ... ... ... ... ... ... ... ... ... ... ... ... ... ... ... ... ... ... ... ... ... ... ... ... ... ... ... ... ...
... ...

7. J'ai regardé la télé **jusqu'à ce que** je ... ... ... (s'endormir)

... ... ... ... ... ... ... ... ... ... ... ... ... ... ... ... ... ... ... ... ... ... ... ... ... ... ... ... ... ... ...
... ...

8. (J'ai terminé la conversation téléphonique. Puis j'ai mangé le déjeuner.) J'ai terminé la conversation téléphonique **avant de** ... ... ... (manger) le déjeuner.

... ... ... ... ... ... ... ... ... ... ... ... ... ... ... ... ... ... ... ... ... ... ... ... ... ... ... ... ... ... ...
... ... ... ... ... ... ... ... ... ... ... ... ... ... ... ... ... ... ... ... ... ... ... ... ... ... ... ... ... ...
... ... ... ... ...
... ... ... ... ... ... ... ... ... ... ... ... ... ... ... ... ... ... ... ... ... ... ... ... ... ... ... ... ... ... ...
... ... ... ... ... ... ... ... ... ... ... ... ... ... ... ... ... ... ... ... ... ... ... ... ... ... ... ... ... ...
... ... ... ... ...

9. **Dès qu'il** ... ... ... (finir) le devoir, il est sorti.

... ... ... ... ... ... ... ... ... ... ... ... ... ... ... ... ... ... ... ... ... ... ... ... ... ... ... ... ... ... ...
... ...

10. Ne partez pas, **le temps que** je ... ... ... (être) prêt.

... ... ... ... ... ... ... ... ... ... ... ... ... ... ... ... ... ... ... ... ... ... ... ... ... ... ... ... ... ...
... ...

# PART ELEVEN, Day 77 – Verb (Conditional 1): Si tu veux, je viens avec toi.

A quick reminder of the verb formations frequently used with <u>the conditional</u>:

| Subject | L'imparfait | Present conditional | Past conditional |
|---------|-------------|---------------------|------------------|
| Je(') | *(être)* | *(être)* | *(être)* |
| Tu | étais | serais | aurais été |
| Il/Elle | étais | serais | aurais été |
| Nous | était | serait | aurait été |
| Vous | étions | serions | aurions été |
| Ils | étiez | seriez | auriez été |
| | étaient | seraient | auraient été |
| | *(avoir)* | avoir) | *(avoir)* |
| Je(') | avais | aurais | aurais eu |
| Tu | avais | aurais | aurais eu |
| Il/Elle | avait | aurait | aurait eu |
| Nous | avions | aurions | aurions eu |
| Vous | aviez | auriez | auriez eu |
| Ils | avaient | auraient | auraient eu |
| | *(dormir)* | *(dormir)* | *(dormir)* |
| Je(') | dormais | dormirais | aurais dormi |
| Tu | dormais | dormirais | aurais dormi |
| Il/Elle | dormait | dormirait | aurait dormi |
| Nous | dormions | dormirions | aurions dormi |
| Vous | dormiez | dormiriez | auriez dormi |
| Ils | dormaient | dormiraient | auraient dormi |
| | *(rester)* | *(rester)* | *(rester)* |
| Je(') | restais | resterais | serais resté(e) |
| Tu | restais | resterais | serais resté(e) |
| Il/Elle | restrait | resterait | serait resté(e) |
| Nous | restions | resterions | serions restés |

| **Vous** | restiez | resteriez | seriez restés |
|---|---|---|---|
| **Ils** | restaient | resteraient | seraient restés |

WITH **SI**, hypothesis (or wish*)

| | | |
|---|---|---|
| **Future** | **Si**+present simple<br>*Si tu veux,*<br>*Si quelqu'un a faim,*<br>*Si tu veux,* | Future simple<br>*je viendrai.*<br>*on mangera.*<br>*je viens.* (present tense, for immediate outcome) |
| | **Si**+present simple+subjunctive (all conditions, after the <u>first</u> present tense, would be subjunctive)<br>*Si tu l'appelles et que tu entendes le répondeur,* | Future simple<br>*tu peux toujours laisser un message.* |
| | (More combinations) **Si**+passé composé<br>*Les enfants, si vous avez fini le devoir,* | Future simple<br>*on mangera dans 15 minutes.* |
| | **Si**+plus-que-parfait<br>*Si tu avais couru,* | Present conditional<br>*tu pourrais prendre le train.* |
| **Present** | **Si**+l'imparfait<br><br>*S'il faisait beau* (which is not the case),<br><br>*Si nous utilisions\* l'énergie renouvelable,* | Present conditional<br><br>*nous sortirions.*<br><br>*notre planète resterait verte pour longtemps.* |
| **Past** | **Si**+plus-que-parfait<br>*Si nous avions trouvé une solution plus vite,* | Past conditional<br>*la situation aurait pu être beaucoup moins grave.* |

| | *Si nous n'avions pas éteint le feu assez vite,* | *la situation devait être beaucoup plus grave.* (l'imparfait may be used, for unavoidable outcome) |
|---|---|---|

In the "**si** clause" (the middle column above), there would <u>never</u> be a future tense <u>nor</u> the conditional <u>nor</u> followed immediately by the subjunctive. ~~Si tu viendras...~~ / ~~Si je voyaverais~~ / ~~Si vous voudriez~~

**Exercises**

**A. Future conditional, follow the given example if needed.**

**Si** tu … … … des sandwichs, je … … … des boissons. (porter) – *Si tu **portes** des sandwichs, je **porterai** des boissons.*

1. **Si** tu … … … fonder une famille, on … … … (vouloir/se marier)

… … … … … … … … … … …..… … … … … … … …… … … … … … … … … … ….…... … … … … … …
… …..

2. **Si** nous … … … dès maintenant, nous … … … à l'heure. (partir/être)

… … … … … … … …..… … … … … …… … … … … … … …..… … … … … … … ….…... … … … … … …
… …..

3. **Si** tu te … … … dans le miroir, tu … … … la réflexion. (regarder/voir)

… … … … … … … …..… … … … … …… … … … … … … …..… … … … … … … ….…... … … … … … …
… …..

4. **Si** tu … … … une liste de choses à acheter, on … … … faire les courses.

… … … … … … … …..… … … … … …… … … … … … … …..… … … … … … … ….…... … … … … … …
… ….. (faire/partir)

… … … … … … … …..… … … … … …… … … … … … … …..… … … … … … … ….…... … … … … … …
… …..

5. **Si** tu me … … … au bureau et que je … … … déjà parti, tu … … me … … sur mon téléphone portable. (appeler/être/pouvoir appeler)

… … … … … … … …..… … … … … …… … … … … … … …..… … … … … … … ….…... … … … … … …
… …..
… … … … … … … …..… … … … … …… … … … … … … …..… … … … … … … ….…... … … … … … …
… …..
… … … … … … … …..… … … … … …… … … … … … … …..… … … … … … … ….…... … … … … … …
… …..

**B. Present conditional, follow the given example if needed.**

**Si** je … … … faim, je … … … (avoir/manger). – *Si j'**avais** faim, je **mangerais**.*

1. **Si** tu … … … plus de 6 heures par jour, tu … … … … moins fatigué(e) dans la journée. (dormir/être)

… … … … … … … …..… … … … … …… … … … … … … …..… … … … … … … ….…... … … … … … …
… …..

… … … … … … … …… … … … … … … … … …… … … … … … … … … … … … … … … … … … … …… … … … … … …
… … ….

2. **Si** je **faisais** plus attention, la situation **serait** moins grave.
(faire/être)

… … … … … … … …… … … … … … … … … …… … … … … … … … … … … … … … … … …… … … … … … …
… … ….

… … … … … … … …… … … … … … … … … …… … … … … … … … … … … … … … … … …… … … … … … …
… … ….

3. **Si** tu … … … là, je … … … moins heureux. (ne pas être/être)

… … … … … … … …… … … … … … … … … …… … … … … … … … … … … … … … … … …… … … … … … …
… … ….

**C. Past condition, follow the given example if needed.**
(You and your friend got accidentally trapped in the elevator, all
becomes dark.) **Si** tu … … … là, je … … … sûrement peur. (ne pas
être/avoir) – **Si** *tu n'**avais** pas **été** là, j'**avais** sûrement peur.*
1. **Si** je … … … plus de temps, je … … … dans beaucoup de pays exotiques.
(avoir/voyager)

… … … … … … … …… … … … … … … … … …… … … … … … … … … … … … … … … … …… … … … … … …
… … ….

… … … … … … … …… … … … … … … … … …… … … … … … … … … … … … … … … … …… … … … … … …
… … ….

2. **Si** je le … … …, je te … … le … … (savoir/dire)

… … … … … … … …… … … … … … … … … …… … … … … … … … … … … … … … … … …… … … … … … …
… … ….

… … … … … … … …… … … … … … … … … …… … … … … … … … … … … … … … … … …… … … … … … …
… … ….

# PART ELEVEN, Day 78 – Verb (Conditional 2): Je verrais Emme, je lui passerais ton bonjour.

<u>WITHOUT **SI**</u>, hypothesis

Present conditional+present conditional
*Je **verrais** Emma, je lui **passerais** ton bonjour.*
*Tu **mangerais** ce truc, tu **pourrais** être malade.*
*Tu ne **mangerais** pas, tu n'**aurais** pas assez de force.*
Past conditional+l'imparfait is also possible
*Tu **aurais mangé** ce truc, tu **pouvais** être malade.*
L'imparfait+l'imparfait is equally possible
*Tu **mangeais** ce truc, tu **pouvais** être malade.*

**Où**+conditional, **que**+subjunctive
*Tu m'appelle et **où** je ne **répondrais** pas, laisse-moi un message vocal.*
*Tu m'appelle et **que** je ne **réponde** pas, laisse-moi un message vocal.*

**Au cas où**+conditional (=in case/if)
*Au cas où tu **aurais** besoin d'aide, appelle-moi.*
When used at the end of a sentence, in spoken French, the conditional is dropped (…, **au cas où** = …, if needed/just in case)
*Appelle-moi, **au cas où**.*

**Pour le cas où/dans le cas où** (=**au cas où**, in case/if)+conditional
*Pour le cas où tu **aurais** le besoin, je peux te le répéter.*
*Dans le cas où tu **aurais** le besoin, je peux te le répéter.*

**Quand bien même**+conditional/**Même si**+l'imparfait (=even if)
*Je ne te le donnerais pas, **quand bien même** tu me le **demanderais** dix fois.*
*Je ne te le donnerais pas, **même si** tu me le **demandais** dix fois.*

Conditional phrases
***Sans force**, on ne peut pas aller plus loin.*
***En répétant la même chose tous les jours**, on sera ennuyés.*

*À trop manger de mauvaise nourriture*, on se sentirait mal.
À table, **sinon**, nos plats seront froids.

**Autrement/sans ça** (spoken, =sinon)
*Je vais au cinéma, **autrement/sans ça** je m'ennuie.*

## Exercises

**A. Follow indications in brackets.** (PC+PC=present
conditional+present conditional, PPC+I=past conditional+l'imparfait,
I+I=l'imparfait+l'imparfait)
J'ai quelque chose spéciale à manger, je la partage avec toi.
*J'**aurais** quelque chose spéciale à manger, je la **partagerais** avec toi.*
(PC+PC)
*J'**aurais eu** quelque chose spéciale à manger, je la **partageais** avec toi.*
(PPC+I)
*J'**avais** quelque chose spéciale à manger, je la **partageais** avec toi.* (I+I)
1. Tu viens chez moi, je reste chez moi.
(PC+PC)
… … … … … … … … ….… … … … … … ….… … … … … … … … ….… … … … … … …
… … ….
(PPC+I)
… … … … … … … ….… … … … … … … ….… … … … … … … ….… … … … … … … …
… … ….
(I+I)
… … … … … … … ….… … … … … … … … ….… … … … … … ….… … … … … … … …
… … ….

2. Tu ne manges pas, je ne mange pas.
(PC+PC)
… … … … … … … … ….… … … … … … … … … ….… … … … ….… … … … … … … …
… … ….
(PPC+I)
… … … … … … … … ….… … … … … … … ….… … … … … … ….… … … … … … … …
… … ….
(I+I)
… … … … … … … ….… … … … … … … … … ….… … … … … … ….… … … … … … …
… … ….

3. Vous êtes contents, nous sommes contents.
(PC+PC)
… … … … … … … … ….… … … … … ….… … … … … … ….… … … … … … … … … …
… … ….
(PPC+I)
… … … … … … … … ….… … … … … ….… … … … … … ….… … … … … … … … … …
… … ….

(I+I)

…………… … … …..… … … … … … …..… … … … … … … … … … ….. … … … … …
… ….

## B. Où/Que… Follow the given example

Tu me cherches, je ne suis pas là, appelle-moi sur mon portatif (**où**)

– *Tu me cherches et **où** je ne **serais** pas là, appelle-moi sur mon portatif.*

Tu me cherches, je ne suis pas là, appelle-moi sur mon portatif (**que**)

- *Tu me cherches et **que** je ne **sois** pas là, appelle-moi sur mon portatif.*

1. Tu as un rendez-vous avec une nouvelle amie, cette amie n'est pas là, ne sors plus avec cette personne (**où**)

- …… … … … … … … … … … … … … …… … …… … … … … … … … … … … … …
… … .

…… … … … … …..… … … … … … …..… … … … … … … ….. … … … … … … …
… ….

Tu as un rendez-vous avec une nouvelle amie, cette amie n'est pas là, ne sors plus avec cette personne (**que**)

- …… … … … … … … … … … … … … …… … …… … … … … … … … … … … … …
… … .

…… … … … … …..… … … … … … …..… … … … … … … ….. … … … … … … …
… ….

2. Tu te sens fatigué(e), tu es somnolent(e), fais une sieste (**où**)

- …… … … … … … … … … … … … … … … … … … … … … … … … … … … … … …
… … .

…… … … … … …..… … … … … … …..… … … … … … … ….. … … … … … … …
… ….

Tu te sens fatigué(e), tu es somnolent(e), fais une sieste (**que**)

- …… … … … … … … … … … … … … … … … … … … … … … … … … … … … … …
… … .

…… … … … … …..… … … … … … …..… … … … … … … ….. … … … … … … …
… ….

3. Tu es seul(e), aucun de tes amis ne répond à tes appels, va manger dans un bon restaurant (**où**)

- …… … … … … … … … … … … … … … … … … … … … … … … … … … … … … …
… … .

…… … … … … …..… … … … … … …..… … … … … … … ….. … … … … … … …
… ….

4. Tu es seul(e), aucun de tes amis ne répond à tes appels, va manger dans un bon restaurant (**que**)

- …… … … … … … … … … … … … … … … … … … … … … … … … … … … … … …
… … .

…… … … … … …..… … … … … … …..… … … … … … … ….. … … … … … … …
… ….

# PART ELEVEN, Day 79 – Verb (Conditional 3): <u>objective</u> v. <u>subjunctive</u>

We will be calling here, once more, the French indicative tense as the objective in **the conditional** with <u>objective</u> v. <u>subjunctive</u> *in order to highlight the "contrast" between them for the learner.*

**1. The conditional** with <u>objective</u> is used with:
**Suivant que, Selon que,** when the outcome is <u>variable</u>.
*Le point **suivant que** nous devons ou nous ne devons pas lui donner cette faveur **est** la question.*
*On réagit **suivant que** la situation **est** stable ou elle ne l'**est** pas.*
*Nous faisons un pique-nique demain **selon qu'**il fera ou **qu'**il ne fera pas beau.*
**Dès lors que, Du moment que,** when the outcome is <u>obvious</u>.
*Dès lors que tu **es** arrivé(e) dans la gare, tu m'appelle.*
***Du moment que** mes amis me **font** une visite, je leur prépare quelque chose à manger.*

**2. The conditional** with <u>subjunctive</u> is used when a condition is set with <u>restrictions</u>/<u>reservation</u> with:
**en supposant que, si tant est que, pour autant que, en admettant que**

| Je te tiendrai au courant | en supposant que<br>si tant est que<br>pour autant que<br>en admettant que | quelque chose **soit** modifiée. |
|---|---|---|

**Pourvu que, sans que, à condition que, à moins que** with <u>strict conditions</u>:

| Je te laisse entrer | pourvu que<br>à condition que | tu **aies** quelque chose importante à me dire. |
|---|---|---|
| Je ne te laisse pas | sans que | tu **aies** quelque chose importante à |

| entrer | à moins que | me dire. |

**Pourvu que**... also means "I/We wish that...".
*Pourvu que mon frère **vienne** avec nous.*
*Pourvu qu'il **fasse** beau demain.*

**Pour peu que** (if/should (you)/provided that): *Ton progrès sera stable, pour peu que tu **fasse** tes exercices quotidiens.*

**Que... que...**, identical outcome: ***Qu'il pleuve** ou qu'il **neige**, je viendrai te trouver. / **Que tu sois** jolie ou (**que tu sois**) moche, je t'aimerai jusqu'à la fin de nos jours.*

## Exercises
### A. Objective Conditional. Complete the sentences with the verbs suggested in brackets.
1. La décision finale **suivant que** nous le ferons ou pas … … … … … … … … … … … de toi. (dépendre)
2. Nous pouvons engager plus de gens **selon que** l'on … … … … … … … … … … besoins plus d'effectifs. (avoir)
3. Nous vous contacterons **dès lors qu**'il y … … … … … … … un poste vacant. (avoir)
4. Nous pouvons vivre **du moment que** je … … … … … … … … … … … … (travailler)

### B. Subjective Conditional. Complete the sentences with the verbs suggested in brackets.
1. Je t'inviterai **en supposant qu**'on … … … … … … … … … … … … … … … la fête. (faire)
2. Nous passons à l'étape suivante **si tant est que** l'étape actuelle … … … … … … … finie. (être)
3. Je serais étonné **en admettant que** ce que tu as dit … … … … … … … vrai. (être)
4. Je ne le fais pas **à moins que** ce (ne) … … … … … … … … … … … … si important. (être | Reminder, "ne" alone is not negative)
5. **Qu**'ils … … … … … … … … … d'accord ou (**qu**'ils ne … … … … … … … … … …) pas, tu décideras à ta façon. (être)

# PART ELEVEN, Day 80 – Verb: the passive

**The passive form: être+past participle**, highlights <u>the object</u>
*<u>Ce livre</u> est bien écrit. / <u>Cette machine</u> est bien faite.*
*<u>Tes cheveux</u> sont bien coiffés.*
*<u>Mes cheveux</u> ont été lavés hier. / <u>La route</u> a été détruite.*
<u>The subject</u> is introduced after the verb by <u>par</u>:
*Cette table est faite <u>par un charpentier local</u>.*
*La route a été détruite <u>par l'inondation</u>.*

The passive form is more popular in the media than in literature, to highlight/draw immediate attention to events.
*Deux hommes ont été arrêtés ce matin.*
*Un enfant a été enlevé devant son domicile.*
*La route est bloquée par plusieurs grévistes.*

<u>J'ai fait</u> + <u>infinitive</u>: *J'ai fait couper les cheveux.*
**Faire** + **infinitive** has a passive value.
*Nous avons fait réparer la fenêtre cassée.*
*On fait les herbes couper une fois par mois en été.*
*Nous allons faire faire ce travail par un professionnel.*

To describe <u>a usage</u> or <u>a habit</u>, we use **a pronominal verb** with a passive value, *se faire, se laver, se boire*, etc:
*Le japonais s'écrit de haut en bas et de droite à gauche.*
*Le roquefort se mange avec des noix.*
*Le vin rouge se boit à la température ambiante.*
*Cette chemise se lave très facilement.*

<u>Je me suis fait</u> + <u>infinitive</u>: *Je me suis fait voler à la gare.*
**Se faire** + **infinitive** has a passive meaning.
*Au SPA, on se fait masser.*
*Elle s'est fait tomber d'un escalier.*

<u>Certain verbs</u> may be followed by <u>de</u>, (instead of <u>par</u>,) with a passive or non-specific subject.
*Le parc est entouré de pommiers. (But,) Il est entouré par sa famille.*

*Cet homme est connu de tous.* (But,) *Cet homme est connu par la police.*
*La voiture est couverte de neige.* (But,) *Cet accident est couvert par l'assurance.*
*Elle est accompagnée de quelqu'un.* (But,) Dans certains pays, les femmes doivent être accompagnées **par** un adulte de leur famille.

**Exercises**

**A. Turn the follow active sentences into passive.**

Il **a écrit** une chanson. – *Cette chanson est écrite par lui.*

1. On **a publié** un livre. – *Un livre* … … … … … … … … … … … … … … … …
…

2. Quelqu'un **a cassé** le verrou. – *Le verrou* … … … … … … … … … … … …
…

3. On a fait un bon plat. – *Le plat* … … … … … … … … … … … … … … … …
…

4. (After a meal in a restaurant, the waiter asks) *Ça* … … … … … … … … …
?

5. La tornade **a fait** tomber beaucoup d'arbres. – *Beaucoup d'arbres* … … …
… … … … … … … … … …

**B. Use "faire+infinitive" to convert the follow sentences.**

J'ai payé quelqu'un pour réparer la fenêtre. – *J'ai **fait réparer** la fenêtre.*

1. J'ai payé un coiffeur pour couper mes cheveux. – *J'ai* … … … … … … … …
… … … … … … … … … … … … … … … *mes cheveux.*

2. J'ai payé pour que le colis soit livré chez moi. – *J'ai* … … … … … … … …
… … … … … … … … … … … … *le colis chez moi.*

3. (Mon four micro-ondes ne fonctionne plus, mais je ne sais pas comment le réparer.) – *Je dois* … … … … … … … … … … … … … … … …
… … … … … … … … … … … … … … … *mon four micro-ondes.*

4. Je vais payer quelqu'un pour faire ce boulot. – *Je vais* … … … … … … … …
… … … … … … … … … … … *ce boulot.*

5. Je vais laisser mes vêtements sales au pressage pour les laver. – *Je vais* … … … … … … … … … … … … … *mes vêtements sales.*

**C. Use de/par to fill the gaps.**

1. Il est détesté … … … … … … sa copine.

2. Il est détesté … … … … … … tous.

3. Cette bouteille est remplie … … … … … … l'eau.

4. Ce bus est rempli … … … … … … les voyageurs.

# PART ELEVEN, Day 81 – Verb (gerund/present participle): en lisant / la femme buvant un café

**The gerund, en+-ant**, is used for doing two things at the same time:
*J'écoute la musique **en marchant**.*
Choose the verb which shows how something is done for the gerund.
*Il est revenu **en courant**.*
*Les hôtes nous ont accueillis **en nous souhaitant** les bienvenus.*
*J'ai sorti la poubelle **en sortant**.*
To reinforce the simultaneity, **tout en** is used:
*J'écoute la musique **tout en** marchant.*
To pass time (by watching TV, etc) is not considered as two actions, so the gerund is not possible.
*Il a passé l'après-midi **à regarder** la télévision.*

**The present participle, -ant**, used in written texts, replaces <u>the qui... clause</u>.
*J'ai un ami <u>qui habite</u> cette ville. > J'ai un ami **habitant** cette ville.*
The present participle is <u>invariable, do not agree</u> with the subject preceding it. (J'ai un ami/une amie/des amis <u>habitant</u> cette ville.)
*J'ai un ami **habitant** cette ville.*
*Je cherche quelqu'un **étant** libre en fin de semaine.*
*Tu connaît quelqu'un **ayant** des amis **parlant** l'espagnol ?*
When the two actions have the same subject, we separate the actions into parts so that the subject is used only once:
***Étant** libre en fin de semaine, je m'adresse à vous.*
***Cherchant** un emploi en fin de semaine, la personne est venue me voir.*
In spoken French, <u>qui</u> is not dropped (the present participle is rarely used).
*La personne <u>qui écoutait</u> la musique ne m'a pas répondu.*
*J'ai vu un mec <u>qui avait</u> l'air bizarre.*
*J'ai un ami <u>qui habite</u> cette ville.*

### Exercises
**A. Combine the two actions done at the same time into one by using**

**the gerund, en+-ant**

J'écoute la musique. Je marche. – *J'écoute la musique **en marchant**.*

1. Je prends une pause. Je fume une cigarette. - … … … … … … … … … … … …
… … … … … … … … … … … … … … … … … … … … … … … … … … … … … … … … … …
… … … …

2. J'ai sorti de chez moi. Je l'ai croisé. - … … … … … … … … … … … … … … …
… … … … … … … … … … … … … … … … … … … … … … … … … … … … … … … … … …
… … … … … .

3. Il l'a accueillie. Il lui a souhaité la bienvenue. - … … … … … … … … … … …
… … … … … … … … … … … … … … … … … … … … … … … … … … … … … … … … … …
… … … …

4. Il a parlé. Il a répété. (reinforced form) - … … … … … … … … … … … … … … …
… … … … … … … … … … … … … … … … … … … … … … … … … … … … … … … … … …
… … … … … .

5. J'ai sorti le chien. J'ai promené. - … … … … … … … … … … … … … … … … … …
… … … … … … … … … … … … … … … … … … … … … … … … … … … … … … … … … …
… … … …

**B. The present participle, -ant: does it agree with the subject?**

1. Yes/No. … … … … … … … … …

2. Give an example according to your answer above. … … … … … … … … … … …
… … … … … … … … … … … … … … … … … … … … … … … … … … … … … … … … … …
… … … … … .

3. Use **the present participle** in the following sentences (while respecting the usage).

(a) Il y a des gens **qui alternent** entre deux lieux de résidence. (b) Il a le savoir-faire. Il peut t'aider. (c) On the phone: *Allô maman, j'ai croisé l'homme **qui** nous* … … … … … … … … … … … … *il y a quelques années !* (aider)

# PART ELEVEN, Day 82 – Verb (verbal adjective): une activité fatigante, un travail fatigant

**The verbal adjective**, unlike the present participle, <u>agrees</u> with the subject preceding it.

*Un travail **fatigant**, une activité **fatigante***

Study the difference <u>in endings</u> in the table below

| <u>Verb</u> | Verbal adjective: **-ent** | Present participle: **-ant** |
|---|---|---|
| Exceller | Excell**ent** | Excell**ant** |
| Influer | Influ**ent** | Influ**ant** |
| Négliger | Néglig**ent** | Néglig**eant** |
| Précéder | Précéd**ent** | Précéd**ant** |
| Violer | Viol**ent** | Viol**ant** |
| Somnoler | Somnol**ent** | Somnol**ant** |
| Équivaloir | Équival**ent** | Équival**ant** |
| Émerger | Émerg**ent** | Émerg**eant** |
| Différer | Différ**ent** | Différ**ant** |
| Diverger | Diverg**ent** | Diverg**eant** |
| Adhérer | Adhér**ent** | Adhér**ant** |
| Affluer | Afflu**ent** | Afflu**ant** |
| Coïncider | Coïncid**ent** | Coïncid**ant** |

| Converger | Converg**ent** | Converg**eant** |
|-----------|----------------|-----------------|
| Résider | Résid**ent** | Résid**ant** |

A noun from a verb is formed according to the ending of <u>the verbal</u> <u>adjective</u>: *l'excellence, l'influence, la négligence, la violence, l'émergence, la différence, la coïncidence, la convergence*

For example: *L'homme violent, violant la Loi, qui a tellement de violence, est arrêté ce matin.*

Certain <u>verbal adjectives</u> can be used as <u>nouns</u>.

For example: *Il y a combien de résidents dans cette résidence ?*

Verbs ending with, **-guer**

| <u>Verb</u> | Verbal adjective | Present participle |
|-------------|------------------|--------------------|
| Zigza**guer** | Zigzag**ant** | Zigzag**uant** |
| Fati**guer** | Fatig**ant** | Fatig**uant** |

Verbs ending with, **-quer**

| <u>Verb</u> | Verbal adjective | Present participle |
|-------------|------------------|--------------------|
| Provo**quer** | Provo**cant** | Provoq**uant** |
| Communi**quer** | Communi**cant** | Communiq**uant** |

*Une fille provo**cante** provoq**uant** tout le monde*

But: cho**quer**, (une image) cho**quante**, (une explosion) cho**quant** (tout le monde)

Verbs ending with, **-cre**

| <u>Verb</u> | Verbal adjective | Present participle |
|-------------|------------------|--------------------|
| Convain**cre** | Convainc**ant** | Convain**quant** |

Some particularities

| Verb | Verbal adjective | Present participle | Noun |
|---|---|---|---|
| Obli**ger** | Oblig**eant** | Oblig**eant** | l'oblig**eance** |
| Rési**der** | Résid**ant** | Résid**ant** | un résid**ent** |
| Excé**der** | Excéd**ant** | Excéd**ant** | un excéd**ent** |
| Exi**ger** | Exig**eant** | Exig**eant** | l'exig**ence** |

**Exercises**
**A. Complete the following endings**
Quelle coïncid___ ! – *Quelle coïncidence !*
1. Le nombre de nos adhér_____ augmente chaque mois.
2. Elle est une excell_____ étudiante, excell_____ en toutes les matières.
3. Il a vu une mère viol_____ un enfant.
4. J'ai tenté de parler à la femme buv_____ un café au soleil. (boire)
5. Une deuxième étape précéd_____ une troisième
**B. Complete the following endings**
Certains règles oblig_____ tout le monde à les respecter – *Certains règles obligeant tout le monde à les respecter*
1. Fatig_____ tous autour d'elle, personne ne l'écoute.
2. Nous sommes entourés d'objets communic_____
3. Il y a quelques arguments convainc_____ dans son discours.
4. Une présentation convainq_____ des nouveaux clients

# - PART TWELVE -

## DIRECT & INDIRECT SPEECHES

# PART TWELVE, Day 83 – Speech (direct & indirect): Elle me dit : « Je viens. » & Elle me dit qu'elle vient.

|  | Direct Speech | Indirect Speech |
|---|---|---|
| **Present** | Elle dit : *« Je suis heureuse. »*<br>Elle me demande : *« Qu'est-ce que tu cherches ? »*<br>Elle me demande : *« Qu'est-ce qui se passe ? »*<br>Elle me dit : *« Boire quelque chose ! »*<br>Elle me demande : *« Tu veux boire un thé ? »* | *Elle dit **qu'**elle est heureuse.*<br>*Elle me demande **ce que** je cherche.*<br>*Elle me demande **ce qui** se passe.*<br>*Elle me dis **de** boire quelque chose.*<br>*Elle me demande **si** je veux boire un thé.* |
| | "Pourquoi", "où", "comment", "combien", and "quand" remain unchanged ||
| | Elle me demande : *« Pourquoi tu pars ? »*<br>Elle me demande : *« Où vas-tu ? »* | *Elle me demande **pourquoi** je pars.*<br>*Elle me demande **où** je vais.* |
| **Past** | The present tense becomes "l'imparfait" in the indirect past speech. ||
| | (Elle dit qu'il **fait** beau. ⇒ )<br>(Elle dit qu'elle **a** faim. ⇒ )<br>(Elle dit que je **suis** son mari. ⇒ ) | *Elle a dit qu'il **faisait** beau.*<br>*Elle a dit qu'elle **avait** faim.*<br>*Elle a dit que j'**étais** son mari.* |
| | The passé composé becomes "the plus-que-parfait" in the indirect past speech. ||
| | (Elle dit qu'il **a fait** beau. ⇒ ) | *Elle a dit qu'il **avait fait** beau.* |

The future simple becomes "the present conditional" in the indirect past speech.

| (Elle dit qu'il **fera** beau. ⇒ ) | Elle a dit qu'il *ferait* beau. |
| (Ils disent qu'ils **voyageront** en août. ⇒ ) | *Ils ont dit qu'ils **voyageraient** en août.* |

The position of the subject-verb is reversed in written direct speed. "Faire" may replace "dire". The "t", added between two vowels as in *"ajouta-t-elle"* serves only to sound right.

*« J'ai faim »*, **dit-elle**. / *« J'ai faim »*, **fit-elle**.
*« Et je veux aussi boire quelque chose »*, **ajouta-t-elle**.
*« Tu peux m'aider, s'il te plaît ? »* lui **demandai-je**.
*« Au secours »*, **a-t-il crié**.

The subject-verb order is reversed (linked by a hyphen, please) if a sentence or a clause starts with any of these phrases: **Du moins, (Et) Encore, Peut-être, À tout le moins, À plus forte raison, Sans doute, Tout au plus, Ainsi, Aussi, À peine**

*À **peine** avons-nous sorti de la maison, on nous a demandé de revenir.*
*Ils sont revenus, **sans doute** leur a-t-on demandé de revenir.*
*Il est malade aujourd'hui, **aussi** suis-je venu.* (aussi=that is why)
*La persévérance paie, **aussi** mettons-nous tellement d'importance là-dessus.*

## Exercises

### A. Convert the direct speech into indirect speed, follow the given example if needed.

*« Laisse-moi dormir un peu »*, fit-elle. – *Elle me dit **de** lui laisser dormir un peu.*

1. *« Quand reviens-tu ? »*, m'a-t-elle demandé. - … … … … … … … … … … …
… … … … … … … … … … … … … … … … … … … … … … … … … … … … … … … …
… … … … …

2. *« Je veux qu'on sorte ce soir »*, a-t-elle dit. - … … … … … … … … … …
… … … … … … … … … … … … … … … … … … … … … … … … … … … … … … …
… … … … …

3. *« Comment tu as résolu le problème ? »* m'a-t-elle demandé. - … … … …
… … … … … … … … … … … … … … … … … … … … … … … … … … … … … … …
… … … …

4. Elle dit : « Je suis contente que tu sois là. » - ... ... ... ... ... ... ... ... ... ... ... ...
... ... ... ... ... ... ... ... ... ... ... ... ... ... ... ... ... ... ... ... ... ... ... ... ... ... ... ... ...
... ... ... ... ..

5. Elle me demande : « Où est-ce qu'on va ? » - ... ... ... ... ... ... ... ... ... ... ... ...
... ... ... ... ... ... ... ... ... ... ... ... ... ... ... ... ... ... ... ... ... ... ... ... ... ... ... ... ...
... ... ... ... .

## B. Complete the following sentences, use the suggestions in brackets.

Il a menti ; **sans doute** il ... ... ... peur de passer pour un grand timide.
(avoir peur) – *Il a menti ; **sans doute** avait-il peur de passer pour un grand timide.*

1. Elle m'aimait, **à tout le moins** je ... ... ... le (croire) - ... ... ...
... ... ...... ... ...... ... ...... ... ...... ... ...... ... ...... ... ...... ... ...... ... ...... ... ...... ...
...

2. Il le craignait, **aussi** il ... ... ... le rencontrer (éviter) - ... ... ...
... ... ...... ... ...... ... ...... ... ...... ... ...... ... ...... ... ...... ... ...... ... ...... ... ...... ...
...

3. Je voulais être avec elle, **aussi** je ... ... ... la voir (aller) - ... ... ...
... ... ...... ... ...... ... ...... ... ...... ... ...... ... ...... ... ...... ... ...... ... ...... ... ...... ...
...

# - ANSWERS -

**PART ONE, Day 01** - **Time: au** 21e siècle, **en** hiver, **fin** semaine
A. - 1. Demain, 13 mai, c'est le week-end. Aujourd'hui, nous sommes **le** 12 mai. - **2. En** juin, début juillet/au début du mois de septembre – **3. Dans** le passé – **4. Dans les** années 80 -
B. 2. **Michel** est né un lundi. Le lundi 12 novembre. En mille neuf cent quatre-vingt-dix. Au vingtième siècle. Il est né mi-novembre, en automne. – **3. Thomas** est né un mardi. Le mardi 26 février. En mille neuf cent quatre-vingt-onze. Au vingtième siècle. Il est né fin février, en hiver. 4. *Example* **Je** suis né(e) un dimanche. Le dimanche 2 octobre. En mille neuf cent quatre-vingt-quatorze. Au vingtième siècle. Je suis né(e) début octobre/au début du mois d'octobre. - **C.** 1. Je suis arrivé(e) **au milieu du** livre, j'ai déjà lu **la moitié du** chapitre ! 2. Arrivés **au milieu du** film, la première **moitié** 3. J'ai mangé **la moitié d'une** baguette 4. **Mi-**mars, les billets d'avion coûtent **la moitié du** prix habituel. 5. En vélo **au milieu de la** route

**PART ONE, Day 02** - **Time: le** soir, **du** vendre au samedi, **à** minuit
A. - 2. Quatre heures **quarante-cinq**, cinq heures **moins le quart** - 3. Vingt une heures **trente**, neuf heures **et demie** - B. Je me lève à six heures **du matin** / Qu'est-ce que tu fais aujourd'hui pendant **la soirée** ? / Mon *dernier rendez-vous du jour* est à cinq heures et demie / appelle-moi dans **la soirée**. – **C.** 2. Une demi-heure **d'**avance 3. Je vous remercie **par** avance. 4. Pour être sûr d'avoir une place, réservez **à l'**avance. 5. J'écris un livre sur les impacts de la violence armée sur les mineurs **en ce** moment. 6. Plusieurs initiatives sont déjà en cours **en même** temps ! 7. À la plage Kuta, au Bali, **en ce** moment, il fait chaud. 8. Tout le monde est parti **en** même temps. – **D.** Le restaurant est ouvert **du lundi au vendredi, de huit heures à vingt heures, de juillet à septembre**. Il est fermé **du samedi au lundi, de douze heures à huit heures du matin, du premier août au quinze août**. E. Mon mari a travaillé **jusqu'à** dix heures, **jusqu'au** soir, **jusqu'au** 25 novembre, **jusqu'en** 2017, **jusqu'en** hiver, **jusqu'au** mois de janvier, **jusqu'au** petit matin

**PART ONE, Day 03** - Time: an/année, jour/journée
**A.** 1. Dix **ans**, plusieurs **années**, une dizaine **années**, 3 **ans**, un million **d'années**, quatre mille **ans**, environ vingt **ans**, quelques **années**, cinq **ans**, plus de soixante **ans**, un grand nombre d'**années** – **B.** 2. En 1991, la crise a-t-elle duré 4 ou 5 **ans** ? – Elle a duré 5 **ans**. 3. Les poissons sont sur la planète depuis 100 000 **ans** ou 400 millions d'**années** ? – Les poissons sont sur la planète depuis 400 millions d'**années**. 4. L'aurore se situe en début ou en fin de **journée** ? – **Elle se situe en début de journée.** 5. Le Noël se fête en début ou en fin d'**année** ? – **Elle se fête en fin d'année.** 6. **Une année** contient 355 ou 365 **jours** ? – **Elle contient 365 jours.** 7. L'évaluation des résultats s'effectue une ou deux fois par **an** ? **Elle s'effectuée deux fois par an.** – 8. Grand nombre d'**années** - **C'est Proust qui l'a dit.**

**PART ONE, Day 04** - Time: la veille, ce jour-là, le lendemain
**A.** 1. Il était à Paris **deux jours plus tôt**. 2. Il a acheté un billet d'avion **trois mois plus tôt**. 3. À Paris, il a téléphoné à sa femme et lui a dit qu'il rentrerait **le lendemain**. 4. **La veille** il était fatigué du décalage horaire. 5. Il a assuré à tous les députés de parlement européen, où il était **la semaine d'avant/précédente.** 6. Il était dépressif **trois ans plus tôt**. 7. Il a pris un congé pour dépression **l'année précédente**. 8. Il reprend son travail **deux après/plus tard.**

**PART ONE, Day 05** - Time: dans, pour, pendant, en
**A.** 1. J'ai un forfait Navigo **pour** un mois. 2. Nous connaîtrons le résultat du match **dans** quelques minutes. 3. Cette étude est **pour** trois ans. 4. J'ai signé un contrat **pour** 1 ans. 5. Jérome a dépensé 200 euros **en** un mois pour acheter des jeux vidéo. 6. Je ferai mes prochains cours **dans** une semaine.
7. On ne peut pas réadapter un criminel **en** deux ans. **B.** 2. Cette société **a réalisé** 4 milliards de dollars **en** deux ans. 3. La réalisation d'un moule est **passée** de 3 à 1 semaine **en** quelques mois. 4. La machine a **tourné** sans arrêt **pendant** plusieurs jours. 5. On a **réfléchi pendant** longtemps avant de prendre une décision. 6. Certaines personnes ont **gagné** des centaines de

milliers d'euros **en** un mois. 7. On a **attendu pendant** des mois précédant la mousson.

**PART ONE, Day 06** - Time: Il y a, depuis, ça fait… que
**A.** 2. Elle est mariée **depuis** avril. 3. Je suis arrivé **il y a** quelque temps. 4. J'ai mon permis **depuis** à l'âge de 19 ans. / J'ai passé le permis **il y a** 15 ans. 5. J'ai ce vélo **depuis** janvier. / J'ai acheté ce vélo **il y a** 4 mois. 6. Je suis venue ici **il y a** onze jours. 7. Elle s'est mariée **il y a** 3 mois. 8. Il suive un cours de yoga **depuis** 3 mois. / Il a suivi un cours de yoga **il y a** quelques années. 9. Elle a essayé de vendre sa voiture **depuis** 7 semaines. / Elle vient de vendre sa voiture **il y a** 2 heures. 10. J'ai bu beaucoup de café **il y a** quelques années. / J'ai commencé boire le café **depuis** j'ai travaillé sur ce livre. – **B.** 2. Le public et le privé **sont associés** à cet objectif depuis peu de temps. / Les décideurs et les élus **se sont associés** aux appels il y a une semaine. 3. Leur premier enfant, la fille aînée, **est mariée** depuis septembre. / Elle **s'est mariée** à Thomas il y a 3 ans. 4. Cette fenêtre isolante **est installée** depuis novembre. / Un malaise **s'est installé** lorsqu'ils se sont quittés il y a quelques mois. **C.** 2. Il a vomi, il y a 30 minutes, en buvant trop la vodka et, depuis, il dort. 3. Il a perdu sa voix, il y a une semaine, en parlant trop fort et, depuis, il se tait. 4. Il a eu un accident de voiture, il y a un mois, en conduisant trop vite et, depuis, il n'a plus de permis.

**PART ONE, Day 07** - Time: Dès que/depuis que, aussitôt/à peine
**A.** 2. **Dès** l'âge de 16 ans, il a commencé à fumer. 3. **Depuis** l'âge de 16 ans, il fume. 4. Notre secteur préscolaire s'occupe d'enfants **dès** l'âge de 3 ans. 5. **Depuis** octobre, je porte ce manteau. 6. **Dès** l'âge de 6 ans, j'ai aimé des manteaux rouges. 7. **Depuis** juin la météo est bonne. 8. **Dès** le début du juin la météo est devenue meilleure. - **B.** - *Examples* 2. Sa femme a décidé de quitter son poste **depuis qu'ils ont eu trois enfants**. 3. J'achèterai un nouvel ordinateur **dès que j'aurai assez d'argent**. 4. Il a l'air plus heureux **depuis qu'il a épousé sa meilleure amie**. 5. Il faut manger la glace **dès** qu'on l'achète. 6. Prenez la

dose prescrite **dès que la migraine s'installe**. - **C**. 2. Je mange plus les cuisines de rue **depuis que** j'étais hospitalisé. 3. Le chien aboie **dès qu**'il voit une personne inconnue. 4. Elle se sent dépressive **depuis qu**'elle a perdu un ami. 5. Certains animaux peuvent marcher **dès** leur naissance/**dès qu**'ils naissent. 6. Je pense à mon parapluie **dès qu**'il commence à pleuvoir. 7. On a plus des résultats **depuis qu**'on a élargi nos réseaux. 8. J'ai commencé à dessiner **dès que** j'ai pu tenir un crayon. 9. Nous sommes plus prospères **depuis que** nous avons ouvert les marchés. 10. Un autre problème apparaissait **dès que** nous trouvions une solution. – **D**. 2. J'ai compris aussitôt qu'il voulait me flatter./J'ai compris dès qu'il voulait me flatter. 3. L'homme manqua son aventure aussitôt qu'il est sur pieds./L'homme manqua son aventure dès qu'il est sur pieds. 4. Il le reconnut aussitôt qu'il le vit.

## PART ONE, Day 08 - Time: expressions

**A.** 2. **Ça fait longtemps que** je n'ai pas eu des vacances. 3. Ça pourrait prendre jusqu'à un an ce que nous avons accompli **en** trois semaines. 4. J'ai eu la chance d'assister à une rencontre avec des personnes très intéressantes **il y a** quelques jours. 5. Réaliser une autre évaluation **dans cinq semaines** ne sera pas possible, on a mis 8 mois pour la dernière. 6. L'aérogare de la ville est exploitée au-delà de sa capacité **depuis des années**. 7. Chaque soir mon père court **pour** 30 minutes. 8. J'ai fait nettoyage **dès que** j'ai fini la réparation de la voiture. 9. Des moustiques sont partout **pendant** l'été. - **B.** 2. L'Allemagne a gagné le Championnat d'Europe **il y a combien de temps** ? / **Ça fait combien de temps que** l'Allemagne a gagné le Championnat d'Europe ? / **Il y a combien de temps que** l'Allemagne a gagné le Championnat d'Europe ? 3. Max met **combien de temps pour** se préparer ? / Il lui faut **combien de temps pour** se préparer ? 4. Vous avez parlé **(pendant) combien de temps** ? / **(Pendant) combien de temps** avez-vous parlé ? 5. Tu me passeras un coup de fil **dans combien de temps** ? / **Dans combien de temps** me passeras-tu un coup de fil ? 6. Il est parti

**pour combien de temps** ?/**Pour combien de temps** est-il parti ?

## PART TWO, Day 09 - Place: dans, sur, à, chez

**A.** 2. **sur** le Pont de l'Alma, 3. **dans** le quartier d'Alma, 4. **sur** l'avenue Montaigne, 5. **sur** la place de la Reine Astrid, 6. **dans** la rue Jean Goujon. – **B.** 2. **À l'**épicerie. 3. **Chez l'**ophtalmologiste. 4. **Chez** Darty. 5. **À l'**Alliance française. 6. **Dans une** école spécialisée. 7. **À l'**Académie française. 8. **À la** campagne. 9. **À l'**hôpital. 10. **Au** lit, **dans** mon lit. 11. **En** bus, **dans le** bus 175.

## PART TWO, Day 10 - Place: dessus, dessous, dedans, dehors

**A.** 2. la température mondiale **au-dessous de/en dessous de** 2°C/35.6 °F 3. L'avion vole **par-dessus** des montagnes./L'avion vole **au-dessus de** montagnes. 4. Le bateau passe **par-dessous** le pont./ Le bateau passe **au-dessous du** pont. 5. l'âge de l'adolescence est **au-dessous de/en dessous de** 18 ans 6. Cette idée est passée **par-dessus** ma tête. 7. L'eau bout **au-dessus de** 100°C/212°F. 8. L'animal s'est glissé **par-dessous** l'obstacle. – **B.** 2. Il fait un beau soleil aujourd'hui : déjeunons **dehors**. 3. Restons **à l'intérieur de** notre terrain. 4. Mon numéro de téléphone est écrit **ci-dessous**. 5. J'ai des nouveaux voisins **au-dessous/en dessous de chez** moi. 6. Il y a une aérogare **à l'extérieur de** la ville. - **C.** 1. Il fait froid **à l'**ombre. 2. Je regard un match **à la** télévision. 3. Il fait chaud **au** soleil ! 4. Le chat dort **sur** une chaise. 5. Je n'aime pas marcher **dans la** pluie. 6. On trouve les informations facilement **sur** internet. 7. Je m'assieds **dans un** fauteuil, et j'écoute le journal **à la** radio. 8. Si je m'assieds **sur un** canapé, souvent je m'endors. – **D.** 2. Les produits sont emballés **dans des** boîtes. 3. La circulation en voiture est possible **sur le** pont. 4. Il regardait **sur les** bancs les pauvres assis, ceux pour qui la chaise était une trop forte dépense. (Maupassant, Fort comme la mort, P. 116) 5. Il a dormi **sous une** tente. 6. Le nombre d'usagers **dans les** métros ne cesse d'augmenter.

**PART TWO, Day 11** - **Place: devant, derrière, en haut, en bas**
**A.** 2. ... nous sommes trop **en arrière**. 3. Nous sommes assis **à l'arrière** du train. 4. La piscine est **derrière** la maison. 5. Je lis un livre **dos à** la fenêtre. 6. L'animal a dû sortir **par-derrière**. – **B.** 2. On n'a pas de temps. On part **avant** 9h00. 3. Recule ! Bouge un peu **en arrière**. 4. Papa est **à l'avant**, au volant. 5. Il y a un petit jardin **derrière** la maison. 6. Je ne vois plus l'image. Je m'assois **dos à** la télévision. 7. La quatrième de couverture se trouve **au dos d'**un livre. 8. Il n'est pas en mesure de faire **face à** ses engagements. 9. Personne ne nous a vu. Nous sommes sortis **par-derrière**. 10. Dans cet immeuble de deux étages, en ce moment, il n'y a que deux personnes qui vivent ; Monsieur Dupont **en haut** et le gardien **en bas**. 11. En automne, il y a des feuilles mortes **par terre**. 12. **D'un côté**, je suis assez d'accord avec ses idées, mais **d'un autre côté**, je n'en suis pas. 13. **D'un côté** de la rivière, il y a un champ de blé, **de l'autre** il y a de la forêt.

**PART TWO, Day 12** - **Place: entre, parmi, près, proche**
**A.** 2. **Entre** ces deux, je choisis celle-là. 3. Combien **d'entre vous** connaissent cette chanson ? 4. M. Dupont a 102 ans. Il est le plus âgé **parmi** la population du village. 5. **Deux de** membres de ma famille se ressemblent complètement : ma mère et ma sœur. 6. Un animal s'est caché **parmi** les arbres. 7. On a une piscine **entre** les deux maisons. 8. C'est difficile de choisir **parmi** tous ces candidats. 9. Beaucoup **d'entre** nous veulent rester chez soi le week-end. 10. Il y a beaucoup de secrets **parmi** eux. 11. **De tous** les fromages, c'est le roquefort que je préfère. 12. Les Hollandais, beaucoup **d'entre** eux sont bilingues. - **B.** 2. Elle habite **près du** parc. 3. J'aime marcher **près de la** rivière. 4. Le catalan est une langue **proche de** l'espagnol. 5. Reste **près de** moi. 6. Où est le supermarché le plus **proche** ? 7. La perspective d'une révolution **semble plus proche** qu'elle ne l'a jamais été.

**PART TWO, Day 13** - **Place: ici, là, là-bas**

**A.** 2. Vous étiez aux États-Unis ? / Vous êtes resté(e) longtemps **là-bas** ? / J'**y** suis resté(e) 2 ans. – 3. Vous étiez au Japon ? / Vous avez travaillé longtemps **là-bas** ? / J'**y** ai travaillé pendant 6 mois. – 4. Vous étiez au Bali ? / Vous avez voyagé longtemps **là-bas** ? / J'**y** ai voyagé pendant 3 mois. – **B.** 2. Tu vois cette boulangerie : c'est là où j'achète le pain. 3. Tu vois cette librairie : c'est là où j'achète mes livres. 4. Tu vois ce bâtiment : c'est là où je travail. 5. Tu vois ce coin, à côté de l'armoire : c'est là où j'ai trouvé tes clés. **C.** 3. J'adore Pokhara : **j'y ai** passé trois semaines. 4. Je suis allé au parc et **j'ai** lu un chapitre de mon livre. 5. Je connais la Provence : **j'y ai** habité longtemps. 6. C'est le lycée Joffre de Montpellier : **j'y ai** fait mes études. 7. J'ai visité le Louvre et **j'y ai** pris plusieurs centaines de photos. / J'ai visité le lac et **j'ai** pris une superbe photo. 8. J'ai attendu au bar et **j'ai** lu quelques articles dans un journal. / J'ai attendu au bar et **j'y ai** lu un journal entier. 9. Elle est allée au cinéma et **elle a** vu un film. 10. L'août dernier on est parti pour la montagne et **on y est** resté 4 semaines.

## PART TWO, Day 14 - Place: venir, aller, apporter, emporter, rentrer

**A.** 2. Oui, **j'arrive** ! 3. Mon mari est occupé : pouvez-vous **revenir** plus tard ? 4. J'ai oublié acheter le fromage. Je dois **retourner** au magasin. 5. Je **me suis retourné** et j'ai vu que quelqu'un me suivait. 6. Il est **revenu** à la maison sain et sauf. 7. Tu as acheté un nouveau manteau ? – Non, je l'ai **retourné**. – **B.** 2. Il est **arrivé** depuis lundi. 3. Je dois aller mais je **reviens** ! 4. Si vous sortez, **emmenez** le chien. 5. Elle est partie sans **emporter** sa sacoche. 6. Le vent a retourné le parapluie. 7. Le train **arrive** dans 2 minutes. – **C.** Ma chère, aujourd'hui les transports sont en grève à Paris. Je ne peux pas venir ni **en** train, ni **en** bus, ni **en** métro, ni **en** bateau, ni **en** avion. Mais je trouverai un moyen de te rejoindre : j'irai **en** rollers, **à/en** vélo, **à/en** moto, **à** pied, **à** cheval, **en** trottinette, **à** dos d'âne ou **en** scooter. Attends-moi, j'arrive !

**PART TWO, Day 15** - **Place: joindre, rejoindre, partir, retrouver**

**A.** 1. Vous pouvez me **joindre** à cette adresse mail. 2. Je chercher à **rejoindre** l'autoroute A14. 3. Je cherche à **joindre** Jérôme : tu as son numéro de téléphone ? 4. Je vais **rejoindre** mon époux pour le déjeuner. – **B.** 1. Cette année j'ai **retrouvé** les amis que j'avais **rencontré** deux ans plus tôt. 2. Tu sais où pourrons-nous **retrouver** mos amis ? – Oui ! Nous les **retrouvons** au restaurant Boutary, dans le 6ᵉ. 3. Le week-end dernier j'ai **rencontré** des gens sympathiques. 4. Le matin, de 9h00 à midi, vous pouvez me **joindre** à ce numéro. **C.** 2. Si tu **pars** par mauvais temps, pense à **emporter** un parapluie. 3. Prévenez-moi avant que vous **quittiez** le lieu. 4. Je n'aime pas trop **conduire** à Paris. 5. Je vais **aller à** Paris en train. 6. Après la pause, tout le monde est prié de **regagner** leur place. 7. À Londres, **dans** quel hôtel **es-tu descendu** ? – **J'ai descendu à** l'hôtel Sheraton. 8. Marcel **a filé en douce** pour ne pas payer sa part. 9. Les grévistes ont refusé de **s'en aller.**

! filer en douce (=to leave discreetly)

**PART TWO, Day 16** - **Place: En France, au Japon, à Londres**

**A.** Des gens comprennent et parlent le français **en** France, **en** Belgique, **en** Suisse, **au** Québec, **au** Luxembourg, **à** Monaco, **au** Sénégal, **au** Niger, **au** Gabon, **au** Mali, **à** Haïti, **en** Guyane, **en/à la** Martinique, **en** Côte d'Ivoire, **au** Bénin, **à** Saint-Pierre-et-Miquelon, **aux** Seychelles, **au** Burkina Faso, **au** Burundi, **au** Cameroun, **au** Vanuatu, **au** Rwanda, **en** Centrafrique, **à** Djibouti, **à** Monaco, **en** Mauritanie, **en** Nouvelle-Calédonie, **au** Liban, **au** Tchad, **au** Togo, **à** Saint-Martin, **en/à la** Guadeloupe, **à la** Réunion, **à** Mayotte, **à** Madagascar, **aux** Comores... - **B.** 1. **En** Colombie, on paie **en** peso. 2. **Au** Cambodge, on paie **en** riel. 3. **Au** Québec, on paie **en** piastre. 4. **En** France, on paie **en** euro. 5. **Aux** États-Unis, on paie **en** dollar. 6. **Au** Pérou, on paie **en** sol. 7. **En** Inde, on paie **en** roupie. 8. **En** Thaïlande, on paie **en** baht. - **C.** 1. La loi est écrite **en** grec **en** Grèce. 2. La loi est écrite **en** russe

**en** Russie. 3. La loi est écrite **en** anglais **en** Angleterre. 4. La loi est écrite **en** espagnol **en** Espagne. 5. La loi est écrite **en** japonais **au** Japon. 6. La loi est écrite **en** italien **en** Italie. 7. La loi est écrite **en** portugais **au** Portugal. 8. La loi est écrite **en** allemand **en** Allemagne.

**PART TWO, Day 17** - **Place: Au Colorado, en Andalousie, dans le Vaucluse**
**A.** 2. J'habite **dans le** Finistère. 3. J'habite **en** Andalousie. 4. J'habite **dans les** Pyrénées-Atlantiques. 5. J'habite **dans le/au** Colorado. 6. J'habite **à la** Réunion. 7. J'habite **à** Québec. 8. Je voyage **au** Québec. – **B.** 1. Le camembert vient **de** Normandie. 2. Le parmesan vient **d'Italie.** 3. Les sushis viennent **du** Japon. - **C.** *examples* 1. Je viens **du N**ord. 2. Je suis né(e) **en** Andalousie. 3. J'habite **dans** les Alpes-Maritimes.

**PART THREE, Day 18** - **Noun: Une femme/un homme, la femme/l'homme**
**A.** 1. Il a écrit **un** livre, **un** bon livre, **un** livre sur **les** fourmis, **le** livre qu'il écrivait depuis l'an dernier, **un** livre numérique, vendu sur **un** marché connu. 2. Elle a inventé **un** poison, **un** poison très efficace, **un** poison pour tuer **les** moustiques, **la** recherche sur laquelle elle travaillait janvier, **un** poison en phase d'essai, dans **une** région au sud du pays. 3. Ma sœur a trouvé **un** logement, **un** logement très sympa, **un** logement au coin de la rue de chez nos parents, **le** logement idéal qu'elle cherchait, **un** logement de deux pièces, **le** logement de rêve, quoi ! 4. Gisèle est partie pour **un** voyage, **un** très long voyage, **un** voyage de plusieurs continents, **le** voyage qu'elle rêvait depuis toujours, **un** voyage avec sa copine de collège, **le** voyage se termine en septembre prochain. – **B.** 2. **Un** homme vit 71 ans. (According to the WHO, the world average life expectancy in 2015 was 71.4.) 3. **L'**homme est plus intelligent que **le** cheval. 4. **Les** lions mangent de la viande.

**PART THREE, Day 19** - **Noun: les animaux, des animaux**

**A.** 2. Ce sont **les** moutons qui appartiennent à la famille qui vit au pied de la colline. 3. La vie présente toujours **des** problèmes. 4. Aujourd'hui, **les** problèmes d'hier ne sont plus là. 5. Je n'ai jamais rencontré un dauphin méchant. J'aime **les** dauphins. 6. J'accepte **des** nouvelles conditions de ma vie. 7. J'ai horreur **des** gens impolis et arrogants. 8. Quand j'étais malade, j'ai mangé que **des** fruits lavés de l'eau de bouteilles. 9. Tous les jours je mange **les** légumes cuits. 10. On se pose beaucoup **des** questions. – **B.** 2. Le samedi dernier nous sommes partis pour une virée dans les campagnes. J'ai vu **de** jolies petites maisons. 3. Sur ce site, on trouve beaucoup **des** petites annonces. 4. Je refuse **des** invitations de tout le monde cette semaine. 5. J'ai cinq frères et sœurs : deux sont avec moi, **des autres** sont partis en vacances. 6. Je n'aime pas lire ces deux livres. J'aimerais avoir **d'autres** choix. 7. Je n'ai pas **d'autres** choix.

**PART THREE, Day 20** - **Noun: la couleur de la maison, une couleur de maison**

**A.** Raymond vit dans une maison **de** bois, dans un coin calme **d'un** village. Le jardin **de la** maison est petit, le portail **de la** cour n'a pas de serrure. Les habitants **du** village se connaissent par leurs prénoms. Le seul café **du** coin s'appelle Le Soleil. La fille **du** patron **du** café est devenue la femme **de** Raymond depuis l'an dernier. – **B.** 2. J'ai trouvé **des** billets **de** voyage dans **une** gare : ce ne sont pas les vôtres ? 3. Il y a quelques moments, nous avons perdu **les** billets **du** TGV Paris-Marseille dans **la** gare de Lyon. Vous les avez trouvés ? 4. J'ai trouvé sur leboncoin **un** ordinateur **de** bureau fonctionnel pour 50€. 5. En France, tous **les** sites **de** commerce en ligne doivent avoir **une** adresse d'**un** lieu physique. 6. Où est l'adresse **du** lieu sur ce site ? – Elle se trouve en bas **de la** page principale **du** site. 7. Je cherche **une** robe **de** soirée pour ma femme. **Le** vendre **de la** boutique peut me dire où je peux en trouver une.

## PART THREE, Day 21 - Noun: la maison de la radio, le palais de justice

**A.** 2. La laine **de l'**Australie. 3. La maison **de l'**examen. 4. L'adresse **de l'**Académie française. 5. Le premier ministre **de** l'Angleterre. 6. Le ministère **des** solidarités et de la Santé. 7. L'histoire **de l'**Italie est très différente de l'histoire **de** France. 8. L'an dernier j'ai assisté au salon **de l'**agriculture. 9. Il est ancien membre **de l'**équipe de France. 10. Où se trouve l'hôtel **de** ville, s'il vous plaît ? - Il se trouve en face du palais **de** justice. – **B.** 2. La sagesse **de la** Grèce antique. 3. Le manque **de** sommeil affecte la productivité. 4. Le samedi dernier, j'ai passé la moitié **de la** journée au lit. 5. Ce n'est pas très loin, on a déjà fait la moitié **du** chemin. 6. La majorité des Suisses **parle** allemand. 7. Plus de 72 % **de la** surface de la terre **est** recouverte d'eau. 8. Environ 50% de la population mondiale **est** femmes. 9. Londres est situé au sud-est **de l'**Angleterre. 10. Le sud **de la** France est plus ensoleillé que le nord **du** pays.

## PART THREE, Day 22 - Noun: le pain, du pain

**A.** Le matin, je mange **du** pain. Je n'aime pas **le** sucre, donc je ne prends pas **du** sucre dans mon café. **Le** café, c'est un besoin, donc je prends **du** café plusieurs fois par jour. En général je bois **l'**eau, 2 ou 3 litres par jour, mais aujourd'hui je n'ai pas bu assez **de l'**eau. Le midi, je mange **du** steak, j'aime bien **le** steak. De temps en temps, je vois **des** gens mangent **le** filet de Saint Pierre, avec **des** câpres, **du** persil, **des** petits légumes croquants et **des** pommes de terre, c'est très bon aussi. Parfois je mange le pad-thaï, c'est **des** nouilles avec **du** poulet, et avec **des** légumes et **de la** sauce sucrée. C'est délicieux. – **B.** 2. Hier j'ai écouté **du** Mozart. 3. Est-ce que **le** bruit vous dérange ? – Normalement, non, **le** bruit ne me dérange pas, mais quand j'ai envie de dormir tard le soir et j'entends **du bruit**, oui, cela me dérange. 4. Quand il y aura **du soleil**, j'ai ... linge à sécher. 5. Je dois retirer **de l'argent** à la banque. 6. J'aime bien **le** fromage. Je mange **du fromage** tous les jours, après chaque repas, mais **un** fromage me suffit la plupart **du** temps. Et après je remets **le** fromage au frigo.

**PART THREE, Day 23** - **Noun: un paquet de café, pas de café**
**A.** 2. Quoi ? – Oui, je mange **du** pain avec **du** fromage et **du** nutella, c'est très bon ! 3. Pas **de** sucre dans mon café, s'il vous plaît. 4. (in a restaurant) Et pour boire ? – **Du** café, s'il vous plaît ! 5. Il faut boire au moins deux litres **d'**eau par jour. 6. Une vie heureuse n'a pas **de** combat ni **de** souffrance. 7. Avec 50€, on peut acheter beaucoup **de** choses. 8. C'est le vent qui a porté la couverture. Il n'y a guère **de** doute. 9. Une bouteille **de** vin me suffit pour une semaine. 10. Si tu parles plusieurs langues, tu peux voyager partout sans rencontrer **de** difficultés. – **B.** 2. **Que des** surprises ! 3. Ce n'**est** pas **du** vrai jazz. 4. N'auriez-vous pas **du** feu, s'il vous plaît ? 5. Encore **du** fromage ! – Non, pas **du** tout ! C'est un gâteau. 6. Vous cherchez quelque chose ? – Rien **du** tout ! Je regarde le paysage. 7. Que **de** beauté ! Il n'y a pas **de** pollution ni **de** bruit. Il n'y a que **du** bonheur ici !

**PART THREE, Day 24** - **Noun: faire du foot, avoir la tuberculose, être mort de faim**
**A.** 2. Il **fait du** basket. 3. Elle **fait du** surf. 4. Je fais **du** billard. 5. Nous **jouons au** billard. 6. Il est champion olympique : il **fait de la** boxe. 7. Nous **jouons à la** course. 8. Mes potes et moi, on **joue au** foot. 9. Mes grand-parents et leurs amis **jouent aux** cartes. 10. Moi tout seul, je ne peux pas **faire du** cache-cache, mais, **jouer aux** cartes, si. – **B.** 2. Éric a acheté une guitare il y a deux semaines. Il **fait de la** guitare trois heures par jour depuis. 3. Eric Clapton ne **fait** pas de la guitare, il **joue** de la guitare. 4. Ma petite sœur, qui a neuf ans, **fait du** violon très bien. – **C.** 2. Ma carte bancaire, elle est bloquée. Je ne peux pas faire **des achats** pour le moment. 3. Elle a **du** courage : avoir **un** rhume ne fait rien pour elle. 4. J'ai eu **un** sommeil agité, and maintenant j'ai **un** mal de chien au dos. 5. J'ai **le** temps **de** regarder la télévision mais je n'ai pas **du** temps **pour** faire la lecture.

**PART THREE, Day 25** - **Noun: the genre; la montagne, le paysage**
**A.** 1. une nouvelle image, un nouveau silence, un nouveau commentaire 2. un nouveau bureau, une nouvelle solution, un nouveau pyjama 3. une nouvelle peau, un nouveau caméscope, une nouvelle saveur 4. un nouveau gyroscope, une nouvelle peinture, une nouvelle méthode 5. un nouveau travail, une nouvelle bicyclette, une nouvelle chaleur – **B.** 1. Aujourd'hui c'est très facile à obtenir **un** poste **à la** poste. 2. On a eu **un** cours de français dans **la** cour. 3. Je mange **le** foie **une** fois par an, c'est trop gras pour moi. 4. C'est de quel tissu **ce** voile que tu portes ? 5. **Une** manche n'est pas fait pour tenir **un** manche.

**PART THREE, Day 26** - **Noun: construire > la construction, fidèle > la fidélité**
1. On a licencié un bon travailleur sous prétexte qu'il était absent pendant 3 jours, qui a provoqué la colère des employés. – La licenciement a provoqué la colère des employés. 2. Le licencié a retourné au travail ce matin, qui a calmé un peu les employés. – Le retour du licencié a calmé les employés. 3. protéger les mineurs – la protection des mineurs 4. C'est utile d'être curieux. – La curiosité est utile. 5. On a ouvert un nouveau centre de loisir, qui a attiré beaucoup des jeunes de la ville. – L'ouverture d'un nouveau centre de loisir a eu beaucoup d'attraction auprès des jeunes de la ville. 6. Deux centres commerciaux sont fermés, les marchés sont perturbés. – La fermeture de deux centres commerciaux a suscité des perturbations aux marchés. 7. D'être discret est une vertu. – La discrétion est une vertu. 8. Le climat augmente, qui est réel. – L'augmentation du climat est une réalité. 9. D'être honnête est nécessaire. – L'honnêteté est une nécessité. 10. C'est impossible à distinguer. – La distinction est impossible.

**PART THREE, Day 27** - **Noun: le nez, son nez, un nez**

**A.** 2. **Elle** a mal à **la** tête. 3. **Les** jumelles ont **le** même visage. 4. **Sa** tête est sauvée. 5. **Son** nez est congestionné. 6. Elle **me** touche **le** bras. 7. Je **me** suis fait coupé **les** cheveux. 8. Il mit **les** chaussures et quitta **la** maison. - **B.** 1. Il ferma **ses** yeux fatigués. 2. Elle ferme **ses** lèvres tremblantes. 3. Il cache **son** visage rouge de honte. 4. Elle a **de** lèvres rouges séduisantes. – **C.** 2. Il a **les/des** cheveux courts, mais elle a **les/des** cheveux longs. 3. Elle a **des/les** yeux rouges. 4. Il a **des/les** bras longs. – **D.** 1. ~~Elle a le visage séduisant.~~ / Elle a **un** visage séduisant. 2. ~~Il a l'apparence physique spéciale.~~ / Il a **une** apparence physique spéciale. 3. ~~Il a le regard qui suggère quelque chose de beau.~~ / Il a **un** regard qui suggère quelque chose de beau.

**PART THREE, Day 28** - Noun: un bon professeur, un vélo
**A.** 1. une table **ronde** / ~~une ronde table~~ 2. ~~un scientifique manuel~~ / un manuel **scientifique** 3. ~~une voiture verte allemande~~ / une voiture **allemande verte** 4. une table **basse grise** / ~~une table grise basse~~ 5. une marque **coréenne connue** / ~~une marque connue coréenne~~ - **B.** 1. un **bon** café 2. une route **sinueuse** 3. une **grosse** affaire 4. une **belle** vue 5. une eau minérale **chaude** 6. J'ai pris un bain **chaud** hier soir. 7. L'air de la nuit donnait à penser que l'on respirait l'haleine d'un grand corps endormi, **chaud**, oppressant. (Edmonde Jaloux, les Visiteurs) 8. Je renaqui avec un être **neuf**, sous un ciel **neuf** et au milieu de choses complètement renouvelées. (Gide, les Nourritures terrestres) – **C.** 1. Le couple a deux **belles petites** filles. 2. Ils ont eu une **conséquence** immanquablement **mauvaise** 3. Le **prochain** rendez-vous aura lieu avant le moi **prochain**.

**PART THREE, Day 29** - Noun: un grand homme, une homme grand
1. Un **petit** salaire pour un homme **petit** n'a aucun sens. 2. Un homme **brave** n'est pas forcément un **brave** homme. 3. Des filles **chics** ne sont pas nécessairement de **chics** filles. 4. Manger

des repas **chers** avec **de chers** amis n'est pas son truc. 5. On ne comprend pas ce qui se passe en ce moment : c'est un **drôle** événement. 6. Victor Hugo était un **grand** homme. 7. Cette enfant apprend très vite : elle est une fille **curieuse**. 8. Je lave tous mes vêtements trois fois par semaine. Toutes mes **propres** affaires sont des affaires **propres**. 9. Je trouve tous les villages dans cette compagne sont assez charmants, but celui-ci en particulier est un vrai **charmant** village. 10. Un homme **sale** est le **seul** locataire dans ce bâtiment **ancien**. 11. Il y a **de magnifiques** châteaux en France. / Il y a des châteaux **magnifiques** en France. 12. Je n'ai jamais rencontré **de parfaits** inconnus dans cet endroit. / Je n'ai jamais rencontré des inconnus **parfaits** dans cet endroit.

## PART FOUR, Day 30 - Pronoun: il, ça
**A.** 1. Cette situation dépend de toi. - *Ça dépend de toi.* 2. Cette épreuve me dépasse. - *Ça me dépasse.* 3. Te rencontrer me fait beaucoup de plaisir. – *Ça me fait beaucoup de plaisir.* 4. Cet objet me convient. – *Ça me convient.* 5. Ton voisin me plaît. – *Il me plaît.* 6. Jouer me plaît. – *Ça me plaît. 7. Mes amis me rendent heureux. – Il me rend heureux.* 8. Danser avec des inconnus ne m'intéresse pas. – *Ça ne m'intéresse pas.* – **B.** 1. L'heure : **18h30** – *Il est 18h30.* 2. La date : **lundi 5 mai** – *C'est lundi 5 mai.* 3. L'année : **2018** – *C'est 2018.* 4. **07h15, jeudi 8 juin** – *Il est 7 heures du matin, jeudi 8 juin.* – **C.** 1. J'ai téléphoné à ma sœur hier soir. **It paraît qu**'elle me manque. 2. Je ne trouve toujours pas mon stylo préféré. **On dirait que** je l'ai perdu définitivement.

## PART FOUR, Day 31 - Pronoun: ça, c'est, il est
**A.** 1. **Il est** amusant de danser. 2. Travailler plus de 12 heures par jour, **c'est** fatigant. 3. **Il est** passionnant de faire du saut à l'élastique. 4. Faire du saut à l'élastique, **c'est** passionnant. 5. Trouver quelqu'un de confiance, **ce n'est pas** facile. 6. Vérifier tout avant de voyage, **ça vaut** la peine. 7. **Il vaut le coup** de vérifier tout, même si vous pensez que tout est en ordre. 8. **Il est**

triste de voir des gens marcher dans la rue sans chaussure ni rien. 9. Boire dix cafés par jour, **ce n'est pas** bon pour la santé. – **B**. 1. **Ce n'est pas** possible **de** parler couramment une langue étrangère en six mois. 2. Parler couramment une langue étrangère en six mois, **ce n'est pas** possible **à** faire. 3. Prendre un bain chaud, **ça** me plaît beaucoup. 4. **Ça** me plaît beaucoup de prendre un bain chaud. 5. Écouter de la bonne musique, **ça** me détend. 6. **Ça** me détend d'écouter de la bonne musique.

### PART FOUR, Day 32 - Pronoun: c'est, il/elle est

1. Un enfant, **c'est** beau, mais cet enfant-ci, quand tu lui regardes tout près, **il est** l'enfant le plus beau. 2. Cette montagne, **elle est** haute, mais une montagne, **ça** peut **être** encore plus haut. 3. Le pont de l'Yssuke, **ce n'est** connu par personne. 4. **Elle est** une avocate compétente. 5. **Il est** médecin de campagne. 6. Toro, **c'était** un philosophe connu (1817-1862). 7. C'est ton cheval ? **Il est** magnifique. 8. Un cheval, **c'est** un animal magnifique. 9. Aujourd'hui, avec ce merveilleux soleil, que **c'est** beau ! 10. La tour Eiffel, **c'est** haut, mais cette tour-là, **elle est** même plus haute. 11. Vivre dans la tranquillité, **ce n'est pas** un rêve facile à réaliser au 21$^{ème}$ siècle, malheureusement. 12. Comment décrivez-vous le feu ? – **C'est** quelque chose de **chaud**, de la combustion vive. 13. Et la glace ? – **C'est** quelque chose de **froid**, solide, dur et translucide. 14. Ta petite amie, elle est comment ? – **Elle est** belle, grande et blonde. 15. Alice, **c'est** un nom de fille. 16. Ma nouvelle voisine, elle s'appelle Emma, **elle est** d'une beauté à couper le souffle.

### PART FOUR, Day 33 - Pronoun: je, moi...

**A.** 1. Qui mange du fromage ? – **Lui. Il** mange du fromage. 2. Qui prend le thé ? – **Elle, elle** prend le thé. 3. Qui vit à quel étage ? – **Eux. Lui**, vit au 2$^{ème}$, et **elle**, vit au 3$^{ème}$. 4. Qui veut jouer ? – **Nous. On** veut jouer. 5. Qui a cassé le verre ? – **Lui.** Ce n'est pas **moi qui** ai cassé le verre. – **B.** 1. Elle vient du Japon. C'est **elle qui** vient du Japon. 2. Nous avons loué cette maison.

C'est **nous qui** avons loué cette maison. 3. Il lit beaucoup de livres en français. C'est **lui** qui lit beaucoup de livres en français. 4. Tu es fou. C'est **toi qui** es fou. 5. Elle est complètement dingue. C'est **elle qui** est complètement dingue. 6. Nous sommes heureux. C'est **nous qui** sommes heureux.

**PART FOUR, Day 34** - Pronoun: je la vois, je lui regarde…, en, y
**A.** 1. Je **me** vois. 2. Il **les** appelle. 3. Elle **me** plait. 4. Ils **leur** aident. 5. Elle **me** dit bonjour. 6. Elle **l'**empêche de partir. 7. Je **lui** offre un cadeau. 8. Il **m'**aide à démarrer. 9. Je **lui** conseille de rester. 10. Ils **m'**invitent à dîner. – **B.** 1. Si tu veux, je peux **lui** parler. Je ne **lui** dirai pas le fait que tu **m'**a raconté de tout ça. 2. Quand je **l'**ai vue, je **lui** ai parlé de ta situation. Elle **te** conseille de rester calme et qu'elle va **t'**aider. – **C.** 1. J'**en** ai envie. 2. Je **l'**espère. 3. Ils **y** croisent. 4. Non, il ne **l'**est pas. 5. Elle connaît ce sujet mieux que je ne **le** saurais.

**PART FOUR, Day 35** - Pronoun: à elle, de lui, en, y
**A.** 1. J'ai envie **de te** garder à mes côtés le plus longtemps possible. 2. Il pense **à eux** très souvent. 3. Je tiens **à vous** remercier d'être venus si nombreux ce soir. 4. Elle se méfie **de lui**. 5. Il s'occupe **d'eux**. 6. Elle est fière **de toi**. – **B.** 1. Il s'occupe tous les fonctionnements anormaux. – Il s'**en** occupe. 2. Qui va s'occuper **de les nouveaux employés** ? – (Spoken) Bernad va s'**en** occuper. 3. Elle tient **à lui**. 4. Il **y** tient. 5. On va s'**en** occuper.

**PART FOUR, Day 36** - Pronoun: je les appelle, je vais les appeler
**A.** 1. J'appelle mes parents toutes les semaines. – Je **les** appelle toutes les semaines. 2. Demain, j'appellerai mon amie. – Je **l'**appellerai demain. 3. Hier, j'ai appelé mes parents. – Je **les** ai appelés hier. 4. Avant, j'avais appelé mon amie tous les jours. – Avant, je **l'**avais appel**ée** tous les jours. 5. Le week-end prochain je vais inviter mes amis. – Je vais **les** inviter le week-end

prochain. 6. Je pense **l'**appeler mais je ne le fais pas. 7. Ne t'en fais pas. Ça va **se** passer. 8. Je voudrais **la** voir. 9. Je peux **la** regarder danser toute la journée. 10. Je **l'**ai déjà vu**e** danser avant. 11. J'ai fait les enfants travailler sur leurs devoirs. – Je **les** ai fait travailler sur leurs devoirs. – **B.** 1. Je donne ce cadeau à toi. – Je **te le** donne. 2. Je vais donner ce cadeau à elle. – Je vais **le lui** donner. 3. Il donne trop de cadeau à elle. – Il **les lui** donne trop. 4. Moi, je ne donne pas assez de cadeaux à elle. – Moi, je ne **les lui** donne pas assez. 5. J'ai offert une fleur à elle. – Je **lui en** ai offert. 6. On a donné une fleur à moi. – On **me** l'a offert**e**. 7. Laisse amuser les amis. – Laisse-**les** amuser !

## PART FOUR, Day 37 - Pronoun: chacun, plusieurs, quelques-uns

**A.** 1. **Chacune** dit bonjour. 2. **Plus d'un** est cassé. 3. **Quelques-unes** sont déjà parties. 4. **Plusieurs** ont des noms imprononçables. 5. **Certains** sont trop vieux. 6. **Certaines** sont trop fatiguées. 7. **Moins de deux** sont dormi plus de 12 heures. – **B.** 1. Plusieurs personnes ont besoin **plusieurs** vélos. 2. Parmi nous, certaines ont leurs propres vélos, et **des autres** non. 3. Un téléphone portable a **divers** usages. 4. Une langue a des règles **diverses**. 5. **Chacun** de nous est censé être bon sur ce sujet. 6. Plusieurs sont cassés. Pour être plus précis, il y en a trois **de** cassés. 7. Une langue a **diverses** règles.

## PART FOUR, Day 38 - Pronoun: tout, toute, tous, toutes

**A.** 1. Quand je suis avec **tous** mes amis, on parle français **tous**. 2. **Tout le monde** dort **toute** la matinée le dimanche. 3. Prenez **tout ce que** vous voulez ! **Tout** est à donner ! **B.** 1. Deux livres et un téléphone portable, **c'est tout ce que j'ai** dans mon sac. 2. Dix euros, **c'est tout ce qui me reste** dans la poche. 3. Un verre d'eau, **c'est tout ce que j'ai bu** ce matin. 4. Je vais essayer de faire **tout ce qui est possible**. 5. Voyager, **c'est ce qu'il veut**. 6. Trois mots suédois, **c'est tout ce que j'ai appris** quand j'étais en Suède. – **C.** 1. Je connais quelques-unes, mais je ne les connais pas **tous**. (No.) 2. Elle est très sympathique. **Tous** mes amis la connaissent. (Yes.) 3. Je venais ici **tous** les jours quand j'étais petit. (Yes.) 4. Ne parlez pas **tous** en même temps, s'il vous plaît ! (No.)

## PART FOUR, Day 39 - Pronoun: qui, que, dont, où

**A.** 1. La fille **qui** porte une chemise blanche est ma sœur. 2. C'est une fille **qui** aime vivre. 3. Le fille **que** tu regardes est la nouvelle femme de ton beau-frère. 4. Ma sœur, c'est une fille **dont** j'apprécie la joie de vivre. 5. 2010, c'était l'année **où** je suis venu dans ce pays définitivement. 6. C'est un outil **dont** j'utilise souvent. 7. C'est cette vie **qu'**aime je. 8. C'est une chanson **qu'**ont adoré tous mes amis. 9. Je vais acheter trois cadeaux, **dont** un sera pour toi, les deux autres pour ta sœur et ton frère. – **B.** 1. Je n'aime pas les gens **qui** donnent tout le monde des noms autres que les leurs **qui** ne donnent pas ce qui a leur demandé. 2. Le livre **qu'**a écrit un ami à mon **qui** est devenu le livre le plus vendu et **qui** n'est trouvable nulle part aujourd'hui. 3. J'ai vu les dégâts **qu'**ont fait les voleurs. C'est des dégâts **qui** coûteront des milliers d'euros.

## PART FOUR, Day 40 - Pronoun: lequel, auquel, duquel

**A.** 1. C'est un projet <u>sur</u> **lequel** je travaille tous les jours. 2. C'est des amis <u>avec</u> **lesquels** je passe mon temps libre. 3. C'est un film <u>dans</u> **lequel** il raconte une histoire d'amour. 4. C'est une table assez grande <u>sur</u> **laquelle** tu peux travailler comme tu voudras. 5. C'est une raison <u>contre</u> **laquelle** je me bats depuis longtemps. – **B.** 1. Le vélo est le moyen de transport <u>grâce</u> **auquel** je peux me rendre au travail dans seulement 10 minutes. 2. L'Avenue des Champs-Elysées est une avenue <u>le long</u> **de laquelle** on trouve de nombreux magasins de luxe. 3. Ce sont des grands bâtiments <u>en face</u> **desquels** on trouve un jardin spacieux. 4. Ce sont femmes <u>en compagnie</u> **desquelles** elle se sent bien. 5. C'est une fille **dont** j'aime la compagnie.

**PART FOUR, Day 41 - Pronoun: ce qui, ce que, ce dont**
**A.** 1. Il sait **ce qu'il** faut faire ! 2. Je ne sais plus **ce qui** se passe en
ce moment ! 3. J'ai compris **ce qu'**elle a dit. 4. Dîtes-moi **ce que**
vous voudriez boire. 5. C'est incroyable **ce qu'**on trouve sur des
réseaux sociaux. 6. Les chats adorent **ce qui** bouge. 7. Montre-
moi **ce que** tu as fait ! 8. Maintenant on sait **ce qui** a déclenché la
panique ! - **B.** 1. Ce qui me fatigue, c'est ce politiquement
correct. 2. Ce dont je rêve, c'est un monde plus juste. 3. Ce que je
méprise, c'est des morts tragiques. 4. Ce qui me séduit, c'est
l'autonomie. 5. Ce que je crains, c'est le réchauffement
climatique. 6. Ce qui me fascine, c'est l'ignorance humaine. 7. Ce
que j'attends, c'est un beau soleil. 8. Ce que j'ai peur, c'est la
réaction de mes parents. 9. Ce qui me révolte, c'est la
discrimination. – **C.** 1. Où peut-on trouver un bon restaurant
italien à Paris ? (dans la rue du Temple, Paris 4$^{ème}$) – **C'est** dans le
4$^{ème}$, dans la Rue du Temple que vous trouverez des bons
restaurants italiens. 2. Quand avez-vous voyagé solo pour la
première fois ? (à l'âge de 14 ans, il y a 15 ans) - **C'est** à l'âge de
14 ans, il y a 15 ans, que j'ai fait mon tout premier voyage solo.
3. Ça me plaît beaucoup. Qui a fait ce plat ? (lui) – **C'est** lui **qui** a
fait ce plat pour vous.

**PART FOUR, Day 42 - Pronoun: qui est-ce qui... qu'est-ce qui...**
**A.** 1. **Qui** est-ce ? 2. **Que** vois-tu ? 3. Il y a un homme **qui** cherche
sa femme. 4. Je vois une moto **qui** vient vers nous. 5. C'est
l'homme **que** j'ai vu tout à l'heure. 6. C'est une chose horrible
**que** je ne peux pas te dire. – **B.** 1. **Qui est-ce qui** parle ? 2. **Qui est-
ce que** tu regardes ? 3. **Qu'est-ce qui** ne va pas ? 4. **Qu'est-ce que**
tu as fait ?

**PART FIVE, Day 43 – Cause: parce que, comme, car, puisque...**
**A.** 1. Je n'ai pas faim **parce que** j'ai mangé il y a demi-heure. 2.
Cher monsieur, je vous laisse ce message **car** je n'ai pu vous
joindre par téléphone. 3. **Comme** j'ai plus de batterie, je ne peux
pas téléphoner. 4. Le bébé pleure **parce qu'**il a faim. 5. **Comme** le

bébé a faim, il pleure. – **B**. 1. **Puisque** tu ne m'écoute pas, je m'arrête de parler. 2. **Puisque** tu me parles, je t'écoute. 3. Je vais marcher un peu **puisque** j'ai mal aux jambes. 4. J'éteint la télévision **puisque** je ne trouve rien d'intéressant à regarder. 5. **Puisque** j'avais faim, je suis parti au restaurant.

**PART FIVE, Day 44** – **Cause: à cause de, grâce à, faute de, pour, par**
**A**. 1. Je suis en retard **à cause du** bouchon. 2. Je suis stressé **à cause du** manque de sommeil. 3. Elle est malade **à cause de** la mauvaise nourriture. 4. Il est malade **faute de** bonne nourriture. 5. Elle s'ennuie **par manque de** divertissement. 6. Elle ne se sent pas bien **à cause de** l'insomnie. – **B**. 1. J'ai réussi **grâce à** toi. 2. Il fait très beau **grâce au** beau temps. 3. J'ai plus d'énergie **à force de** dormir 8 heures par jour. 4. Méditation devient plus facile **à force d'**entraînement. 5. On se sent mieux **grâce à** la bonne nourriture. – **C**. 1. Je meurs **de** faim. 2. **Sous prétexte d'**être un bon ami à moi, il m'a demandé de l'argent. 3. Danser **par** joie. 4. Il tremble **de** plaisir. 5. Tu seras récompensée **pour** ton beau travail.

**PART FIVE, Day 45** – **Cause: ce n'est pas que, d'autant plus que**
**A**. 1. J'aime ma grand-mère **d'autant plus qu'**elle m'aime. 2. Cet objet est **d'autant plus** joli **qu'**il est outil. 3. Cette boisson est **d'autant moins** de bon goût **qu'**elle est chère. 4. Ma nièce de 12 ans fait des dessins **d'autant mieux que** je peux les faire moi-même. 5. Merci maman ! J'aime bien ma nouvelle robe. **Surtout qu'**elle a une texture très agréable à toucher. – **B**. 1. **Ce n'est pas que** je sois malheureux, **mais** je veux changer mon métier quand même. 2. Il dort : **ce n'est pas parce qu'**il est paresseux **mais** parce qu'il est fatigué. 3. Ne pleure pas mon enfant ! Ton frère part pour six mois : **non qu'**il parte définitivement **mais** il revient avant Noël. 4. Je pars : **ce n'est pas parce que** je pars pour toujours **mais** je reviens avant Noël. 5. Sa sœur pleure : **non qu'**elle sache que le voyage va lui plaire **mais** elle pense qu'il

ne va pas revenir. 6. Sa sœur pleure : **ce n'est pas parce qu'**elle sait que le voyage va lui plaire **mais** parce qu'elle pense qu'il ne va pas revenir.

### PART FIVE, Day 46 – Goal: pour que, afin que

**A.** 1. *Comment faire pour que mon fils m'écoute, pour qu'il me parle, pour qu'il me regarde, pour qu'il s'arrête jouer aux jeux vidéo, pour qu'il n'utilise pas du bon langage, pour qu'il ne crie pas dans son sommeil, pour qu'il ne se ferme pas dans sa chambre, pour qu'il sorte le week-end, pour qu'il ne se rende pas malade, pour qu'il soit heureux.* – **B.** 1. Lis la phrase entière **pour** bien comprendre. (=tu lis, tu comprends, same subject) 2. Je commence dès maintenant **pour que** tout soit prêt à l'heure. 3. Laisse les enfants à moi pour la journée, **pour que** je sois utile. 4. Marchons un peu plus vite **pour** être à l'heure. (=same subject) 5. Écoute lui attentivement **pour que** tu puisses lui répondre.

### PART FIVE, Day 47 – End result: donc, alors, d'où, par conséquent

**A.** 1. Je travaille mieux le matin, **c'est pourquoi** je me lève à 6 heures du matin. / Je travaille mieux le matin, **donc** je me lève à 6 heures du matin. / Je travaille mieux le matin, **alors** je me lève à 6 heures du matin. / Je travaille mieux le matin, **aussi** me lève-je à heures du matin. 2. Albertine est Française : elle veut être au moins bilingue, **c'est pourquoi** elle apprend l'espagnol. / Albertine est Française : elle veut être au moins bilingue, **alors** elle apprend l'espagnol. / Albertine est Française : elle veut être au moins bilingue, **donc** elle apprend l'espagnol. / Albertine est Française : elle veut être au moins bilingue, **aussi** apprend-elle l'espagnol. 3. Ma mère est malade depuis hier soir, **c'est pourquoi** j'appelle chez mes parents. / Ma mère est malade depuis hier soir, **donc** j'appelle chez mes parents. / Ma mère est malade depuis hier soir, **alors** j'appelle chez mes parents. / Ma mère est malade depuis hier soir, **aussi** appelle-je chez mes parents. / Ma mère est malade depuis hier soir, **aussi,** j'appelle chez mes parents. – **B.** 1. 65% d'un corps d'adulte est composé d'eau, **donc/alors** plus de la moitié de vous est de l'eau. 2. Les températures à la surface du globe haussent, **donc/alors** la fonte de la neige et de la glace augmente. 3. Ma grand-mère ne répond pas au téléphone, **d'où** l'inquiétude. 4. Ma grand-mère ne répond pas au téléphone, **c'est pourquoi/c'est la raison pour laquelle** on va aller la voir.

**PART FIVE, Day 48 – End result: si, tellement, tant, tel**
**A.** 1. C'est **si/tellement** loin **qu'**on ne peut pas aller à pied. 2. On est **si/tellement** bien ici **qu'**on n'a pas envie de partir. 3. Il a **tant/tellement** joué **qu'**il est maintenant fatigué. 4. Elle a **si/tellement** honte **qu'**elle devient rouge. 5. Tu m'as **tant/tellement** surprise **que** je ne crois toujours pas que ça s'est vraiment passé. 6. J'ai **si/tellement** soif **que** je pourrais boire une rivière. 7. Elle a **tant/tellement** travaillé **qu'**elle est complètement épuisée. 8. C'est **si/tellement** bon **que** j'ai toujours faim. 9. À l'époque entendre des langues étrangères me surprenait **tant/tellement** mais qui n'est plus le cas. 10. C'est **tellement/si** différent de tout ce que j'ai vu auparavant. 11. J'ai **tellement/tant** envie de boire un bon thé. 12. Je ne peux pas vivre sans toi : j'ai **tellement/tant** besoin de toi. 13. Il y a **tant/tellement d'**abonnés à ce programme. 14. **Tant/tellement de** gens veulent sortir de leurs habitudes mondaines. – **B.** 1. **Une telle** offre ne se refuse pas. 2. Il y a une surprise **telle que** tout le monde reste silencieux. 3. Elle est une beauté **à** couper le souffle !

**PART FIVE, Day 49 – End result: trop/assez... pour que, sans que**
**A.** 1. Il y a **trop** de monde **pour qu'**on soit tranquille. 2. J'ai **assez** d'argent **pour que** nous puissions manger dans un bon restaurant. 3. On a **assez** d'argent **pour** manger dans un bon restaurant. 4. Tu me donnes **assez** de détails **pour que** je puisse trouver les bons produits. 5. Tu ne peux pas entrer **sans** frapper.

– **B.** 1. Je suis **trop** fatigué **pour** pouvoir continuer travailler. 2. Tu dois marcher plus vite **pour** ne pas rater le bus. 3. Il est parti **sans** dire un mot. 4. Il regarde le dessin **sans** comprendre le message. 5. Je vais me promener un peu **pour** faire digérer le bon repas que je viens de manger. – **C.** 1. Tu me dis ce que c'est **pour que** je voie plus clairement la raison. 2. Je vais faire les courses ce vendredi **pour que** nous puissions être tranquilles ce week-end. 3. Bouge un peu **pour que** je puisse passer. 4. Parle moins fort **pour qu'**on ne dérange personne. 5. Je t'attends **pour que** nous puissions manger ensemble.

**PART SIX, Day 50** – **Opposition and Concession: mais, par contre**

**A.** 1. En hiver il fait froid, **mais/par contre/tandis qu'**en été il fait chaud. 2. L'été est chaud, **à l'inverse de/à l'opposé de/contrairement à** l'hiver. 3. Mes enfants préfèrent la ville, **à l'inverse de/à l'opposé de/contrairement à** la campagne. 4. Ici c'est calme, **mais/par contre/tandis que** là-bas c'est bruyant. 5. J'aime cette ville. Ma sœur, **au contraire**, elle veut vivre surtout ailleurs. 6. « Vous ne savez pas combien vous êtes bon, **en revanche**, je sais combien vous l'êtes peu. » - Diderot, in *Lui et Moi* – **B.** 1. Elle cherche l'amour, **mais/cependant/alors qu'**elle est déjà mariée. 2. Il sourit beaucoup, **mais/cependant/alors qu'**il parle peu. 3. Il a beaucoup d'espoir pour une vie à venir, **néanmoins** il a peu d'espoir pour la vie actuelle. 4. J'ai peu d'argent, je suis **quand même/tout de même** parti en voyage. 5. J'ai bien dormi, **malgré** le bruit/**en dépit du** bruit. 6. **Bien/quoique/sans/encore que** j'ai peu d'argent, je suis parti en voyage. 7. Il n'est bon pour rien. **Quoique**...

**PART SIX, Day 51** – **Opposition and Concession: quitte à, or, avoir beau**

**A.** 1. J'ai décidé de faire le tour du monde **quitte à** avoir mille euros. 2. Il veut escalader le Mont Everest **quitte à** n'avoir jamais vu une vraie montagne dans sa vie. 3. Elle veut lire 200 livres au cours de l'année prochaine **quitte à** n'avoir jamais lu un livre entier dans sa vie. 4. Il a toujours faim **quitte à** venir de manger un poulet entier. 5. Ils se disent de vouloir divorcer **quitte à** s'être mariés il y a tout juste trois jours. – **B. 1.** Il **a beau** parler, personne ne l'écoute. 2. Il **a beau** feindre d'être endormi, on sait qu'il est réveillé. 3. Tu **as beau** pouvoir demander mille fois, personne ne va te le donner. 4. Il **a beau** avoir des beaux programmes à la télé ce soir, je n'ai pas le temps à les regarder. 5. Tu **as beau** courir, tu ne rattraperas pas ton train. – **C. 1. Mais oui !** 2. **Il n'en demeure pas moins que/Il n'empêche que/Toujours est-il que/Il reste qu'**il est le plus rapide. 3. **Quelque** froid **qu'**il fasse, je n'ai pas froid. 4. Il veut aller en train. **Or**, le dernier train du jour est parti il y a 10 minutes.

## PART SEVEN, Day 52 – Explication: en fait, du moins, d'ailleurs

**A. 1.** On m'a dit qu'on apprend le français plus rapidement en France et **en effet** c'est vrai. 2. Cette dame là-bas, en robe blanche, c'est la femme de qui ? – **En fait**, elle n'est pas mariée. Elle s'appelle Marie. 3. J'ai parlé avec Charles hier. – **Au fait**, comment va sa fille qui est malade ? 4. Est-ce qu'il fait froid en hiver dans les montagnes ? – **En effet** il fait très froid en hiver. 5. Tu devais avoir faim, non ? – **En fait** je viens de manger. Je prendrai un verre d'eau. – **B. 1.** Je suis épuisé. J'ai parcouru **au moins** dix kilomètres. 2. Si vous ne mangez pas, buvez quelque chose, **du moins** un thé ou un café. 3. Nous avons combien de invités pour ce soir ? – **Au moins** dix. 4. **À moins d'**avoir reçu une invitation, vous ne pouvez pas assister à cette soirée privée. 5. **Sinon** belle, **du moins** elle est élégante. – **C. 1.** Il parle cinq langues couramment. **D'ailleurs**, son père était diplomate quand il est né et sa famille voyageait partout dans le monte. 2. Elle fait du piano super bien. **Par ailleurs**, elle n'a que 9 ans. 3. Ils sont des gens heureux. **D'ailleurs**, on entend souvent des rires chez eux.

## PART EIGHT, Day 53 – Comparative: plus, le plus grand,

**autant A.** 1. Tout à 10 euros. Ceci coûte **aussi** cher **que** cela. 2. C'est un produit d'occasion. Est-ce que cela coûte **si** cher **que** les autres ? – Non. Cela coûte **moins** cher **que** les autres. 3. Ce ne coûte pas **si** cher **que** les autres. 4. Cela coûte **moins** cher **qu'on** peut **le** lire. 5. Ceci coûte **moins** cher qu'on (ne) l'a écrit. – **B.** 1. Il a **plus d'**âge **que** son frère. 2. Est-ce qu'il a **tant d'**âge **que** sa sœur aînée ? 3. Il a l'air plus jeune que son âge. Il a **plus d'**âge **qu'**on **le** pense. 4. Sa sœur aussi a l'air plus jeune que son âge. Elle a **plus d'**âge **qu'**on (ne) **le** pense. 5. Le frère cadet, n'a pas **tant d'**âge **que** son frère aîné. – **C.** 1. L'Everest est la montagne **la plus** haute **du** monde. 2. L'homme est l'animal **le plus** intelligent. 3. Lui, il est bon. Il est **meilleur** que moi. 4. Selon vous, qui chante **mieux**, Taylor Swift ou Rihanna ? 5. Mon amie, elle, elle pense que c'est Adele qui chante **le mieux**. Elle est, selon mon amie, **la meilleure** chanteuse **du** monde.

**PART EIGHT, Day 54 – Comparative: comme, de plus en plus**
**A.** 1. Il est **comme** son père. 2. Le bébé dort **aussi bien** le jour **que** la nuit. 3. Mes amis me manquent **autant que** ma famille. 4. Ses amis lui manquèrent **ainsi que/de même que** sa famille. 5. Il travailla tôt le lundi matin **ainsi que/de même que** le dimanche matin. Puis, il dormit toute l'après-midi. – **B.** 1. Il a mangé le plat **comme si** cela avait été le plat le plus délicieux du monde. 2. Il avance **comme s'**il ne voyait rien. 3. J'ai **la même** couleur de cheveux **que** ma mère. 4. **Telle** mère, **telles** filles. 5. Venez **tels que** vous êtes. 5. Elle m'a regardé **comme si** j'avais dit quelque chose incroyable. – **C.** 1. Il y a **de moins en moins** de magasins physiques et **de plus en plus** de magasins en ligne. 2. Si tu ne fais rien, la situation va devenir **de pire en pire**. 3. Parfois j'ai l'impression que la qualité de vie va **de mal en pis**. 4. Ça va mieux. La situation est **de moins en moins** grave. 5. **Plus** elle passe du temps avec moi, **plus** je l'aime.

**PART NINE, Day 55 – Preposition: de/à**

**A.** 1. J'ai envie **de** manger. 2. J'ai tendance **à** oublier des choses.

3. Tu as le droit **de** partir. 4. Ils ont des difficultés **à** se comprendre. 5. C'est interdit **de** fumer dans les gares. – **B**. 1. Je pense **à** toi. 2. Tout d'abord, on commence **par** discuter plus en détail. 3. Je pense qu'il est nécessaire **de** parler. – Oui, il **faut** parler. 4. Si tu t'ennuies, il suffit **de** m'appeler. 5. C'est **agréable à** s'allonger au soleil. 6. Il y a **une erreur à** corriger.

## PART TEN, Day 56 – Verb (tenses): je ferai

**A**. 1. Bientôt on **aura** une nouvelle voiture. 2. En cinq ans, tu **auras** un frère ou une sœur. 3. Nous **achetons** une maison plus grande. 4. Dans quelques mois, ta tante Anne nous **visitera**. 5. Quand tu **auras** 15 ans, j'**aurai** 49 ans, et ta mère **aura** 47 ans. – **B**. *Je **vais venir** te chercher demain soir, nos amis Alex et Léa nous **rejoindront**, on **mangera** au restaurant tous ensemble, on **boira** de la bière, on **verra** un film, on **dansera** toute la nuit.*

## PART TEN, Day 57 – Verb (tenses): je vais faire

**A**. 1. La balle roule vers le bord de la table. Elle **va tomber**. 2. Je vois la voiture de père entre dans le garage. On **va manger** le dîner. 3. J'ai perdu mon parapluie. Je **vais acheter** un nouveau. 4. Dans 3 jours tu auras 15 ans. On **va fêter** ça ! – **B**. 1. Nos parents viennent d'acheter une grande maison et une voiture neuf avec un gros prêt hypothécaire. Ils **vont finir** de payer le prêt hypothécaire en 20 ans. 2. Dans 10 ans, je **vais avoir** 25 ans. 3. Il **va acheter** une nouvelle paire de bottes dans 5 ans.

## PART TEN, Day 58 – Verb (tenses): l'imparfait (1)

**A**. 1. Il **bruinait**. 2. Des vaches **pâturaient**. 3. Ils **beuglaient**. 4. Nous **entendions** des cloches. 5. Les nuages **diminuaient**. 6. Le ciel **éclaircissait**. – **B**. *Un homme saisit la bourse d'une femme et il s'enfuit. Un homme **courait** après et **attrapait** le voleur. Les deux hommes **tombaient** à terre. Le voleur **frappait** l'homme très fort, se **levait** et s'**enfuyait** à nouveau. Mais, nous **trouvions** le porte-monnaie du voleur sur le sol.*

**PART TEN, Day 59** – Verb (tenses): l'imparfait (2)
**A.** 1. Souvent dans mon adolescence, je **pratiquais** la guitare. 2. Quand j'étais petit, j'**aimais** le lait. 3. Je **perdais** ma virginité après l'âge de 15 ans. 4. Avant on **faisait** de la plongée en apnée. 5. Avant on **prenait** des photos sur de vieux appareils photo de marque Kodak.

**PART TEN, Day 60** – Verb (tenses): le passé compose
**A.** 1. J'**ai** toujours **aimé** le chocolat. 2. Il n'**a** jamais **bu** le vin. 3. J'**ai** longtemps **fait** de la guitare. 4. J'**ai vu** ce film quatre fois. 5. Soudain, elle **a entendu** le téléphone sonner. – **B.** Hier : 1. J'**ai pédalé** le vélo au marché. 2. J'**ai acheté** le pain. 3. J'**ai parlé** avec ma mère au téléphone. 4. J'**ai dîné** vers 19 heures. 5. J'**ai vu** un filme avant de me coucher.

**PART TEN, Day 61** – Verb (tenses): compare "l'imparfait" with "le passé composé"
**A.** Hier, dimanche, vers 15 heures 30, j'**étais** au soleil. Je **lisais** *Madame Bovary* de Gustave Flaubert. Soudain, mon téléphone **a sonné**. C'était mon amie. On **a parlé** pour 10 minutes. Après je **pensais** à des vacances que l'on **a passé** ensemble l'automne dernier. Les souvenirs de soirées me **revenaient** en mémoire. Autour de moi, des enfants **jouaient** au ballon. Un couple s'**embrassait**. J'**ai reçu** un texto de mon amie en me disant qu'elle allait venir me voir. J'**ai répondu** à son texto : « Je serai au café Rotonde dans 2 minutes. »

**PART TEN, Day 62** – Verb (tenses): the passé simple**A.** 1. Il faisait beau. Nous **prîmes** nos vélos et nous **pédalâmes** le long de la rivière. Après deux heures, nous nous **arrêtâmes** pour un pique-nique. Moi, je **mangeai** un sandwich au fromage avec de la salade, et je **bus** un jus de fruits. Certains d'entre nous **dormirent** au soleil, certains **jouèrent** au ballon alors que d'autres **lurent**. – **B.** Example: *Nous parlions. Soudain, mon téléphone portable **sonna**. Ce **fut** un numéro inconnu. Je **répondis** à* *l'appel. « Allô ? »*, **dis**-*je. Il n'y **eut** pas de réponse.*

– Verb (tenses): the "passé simple" and the "passé antérieur"
**A. 1.** (1) passé antérieur, (2) passé simple, (3) passé simple **2.** (1) passé simple, (2) passé simple **3.** (1) passé antérieur, (2) passé simple – **B.** The **passé composé** is mainly used in the standard every-day French while the **passé antérieur** is only used in literature. So <u>no</u>, it's not possible. With the **passé antérieur**, we use the **passé simple** which is also only used in literature. If we need a tense for another action happened before the action expressed through the **passé composé**, then we use the **plus-que-parfait**. The **plus-que-parfait** is the tense mainly used in the standard every-day French while the **passé antérieur** marries with the **passé simple** in their garden of Text-land. – **C.** Example: *Il n'**eut** été plus là quand j'**arrivai**.*

**PART TEN, Day 64** – Verb (tenses): the "passé composé" and the "plus-que parfait"
**A. 1.** Quand elle **est venue** ici, nous **étions** déjà **partis**. 2. Quand je **suis arrivé** à l'arrêt de bus, le bus **avait** déjà **passé**. 3. Elle m'**a dit** qu'elle ne l'**avait** jamais **entendu**. 4. Elle m'**a dit** qu'elle n'**avait** jamais **lu** un livre entier. 5. Elle **a aimé** tout ce qu'il **avait écrit**. 6. J'**avais** déjà **commencé** de faire la réparation quand ma femme me l'**a rappelée** par texto. 7. (There is only one action, therefore the plus-que-parfait is not possible. The passé composé is used for both verbs here: **est marié, a eu**. The passé simple is possible too: **maria, eut**, *On se maria quand on eut plus de 25 ans tous les deux.*) On s'**est marié** quand on **a eu** plus de 25 ans tous les deux. 8. Elle s'**est couchée** dès qu'elle s'**était lavée**.

**PART TEN, Day 65** – Verb (tenses): the passé surcomposé
**A. 1.** J'**ai eu mangé**. 2. Vous **avez été partis**. 3. Elle **a eu écrit**. – **B.** 1. Elle s'est couchée <u>après avoir pris</u> une douche. 2. <u>Après avoir déjeuné</u>, elle est partie.

**PART TEN, Day 66** – Verb (tenses): the "simple future" and the "future antérieur"

**A.** 1. Il **partira** vers 11 heures et donc, à midi, il **sera** parti. 2. Elle **viendra** demain matin et donc, demain après-midi, elle **sera venue**. 3. On **finira** à 16 heures et donc, à 16 heures 30, on **aura fini**. 4. Nous **dînons** vers 20 heures. Si tu viens une heure après, nous **aurons dîné** et tu n'**auras** rien à manger. 5. Demain matin je **passerai** au café dans le coin vers 11 heures. Si vous venez après 11 heures 30, j'**aurai** déjà **passé** et vous ne me **trouverez** plus au même café. – **B.** 1. Il **aura regardé** ailleurs à ce moment-là. 2. Elle **aura été** fâchée avec autre chose.

**PART TEN, Day 67** – Verb (tenses): when "past participle" does/does not agree (1)

**A.** 1. Elle s'est **lavée**. 2. Souvent, ils se sont **regardés**. 3. Nous nous sommes **parlé** tous les soirs. 4. Elle s'est **aperçue** dans la glace. 5. Vous vous êtes **plu**. 6. Je me suis **coupé** les ongles. 7. Je me suis **rendu** compte que j'avais trompé le numéro. 8. Elle s'est **demandé** où elle va passer ses vacances. 9. Elle s'est **imaginé** que je ne suis pas venu. 10. Nous nous sommes **permis** de dormir toute la matinée le dimanche. – **B.** 1. La maison que j'ai **achetée** est petite. 2. J'ai **acheté** une petite maison. 3. Les deux appartements qu'il a **visités** sont trop petits. 4. Il a **visité** deux appartements. 5. Les 12 kilomètres que j'ai **couru** m'ont fatigué. 6. Les risques qu'elle a **courus** sont assez grands. 7. Deux kilogrammes de sucre lui ont **coûté** moins d'un euro.

**PART TEN, Day 68** – Verb (tenses): when "past participle" does/does not agree (2)

**A.** 1. La voiture que j'ai **vue** passer dans la rue a été rouge. 2. Une voiture que j'ai **vu** conduire par une dame en rouge a été grande. 3. La musique que j'ai **entendu** jouer par musicien a été si belle ! 4. Les musiciens que j'ai **entendus** jouer au concert sont très connus. 5. Les dangers que j'ai **sentis** guetter ont été palpables. –

**B.** 1. La coiffure qu'elle a **fait** faire lui va très bien. 2. L'un des deux vélos que j'ai **fait** réparer est cassé à nouveau. 3. Ils se sont **fait** voler dans une gare. 4. Il a **acheté** tout ce qu'il a **pu** avec l'argent qu'il a eu sur lui. 5. J'ai fini de lire tous les livres qu'on m'a **laissé/laissés à** lire.

**PART TEN, Day 69** – Verb (tenses): negation, ne ... pas
**A.** 1. Pendant une heure, il **n'a pas** dit un mot. 2. Elle **ne** connaît **personne** à Londres. 3. Le bus **n'est toujours pas** arrivé. 4. Elle **n'a** rencontré **personne** depuis ce matin. 5. Laisse son plat sur la table, s'il te plaît. Il **n'a pas encore** mangé. 6. Ce matin il a mangé. Mais, il **ne** mange **pas toujours**. 7. Elle **n'est** allée **null part** ce matin et elle **n'a guère** mangé. 8. Il **n'a jamais** fumé la chicha. 9. Il **n'a** eu **aucun** problème. 10. Elle **n'a rien** mangé et elle **n'est** partie **null part**. – **B.** 1. Il **n'est ni** beau **ni** drôle. 2. **Ni** la beauté **ni** la drôlerie **ne** lui appartient. 3. Elle est partie **sans** dire merci **ni** dire bonsoir.

**PART TEN, Day 70** – Verb (tenses): negation as subject (*Rien ne fonctionne.*) and with infinitive (*Ne rien faire.*)
**A.** 1. **Personne ne** dit un mot. 2. **Rien ne** fonctionne plus. 3. **Aucun n'**est obligatoire. 4. **Nul ne** sait ce qui va se passer. 5. **Aucun n'**est perdu. / **Aucun ne** sera perdu. – **B.** 1. **Ne pas** réveiller le bébé. 2. **Ne plus** pouvoir chanter. 3. **Ne** chercher **nulle part**. 4. **Ne jamais** précipiter. 5. **Ne guère** progresser. 6. **N'**insulter **personne**. 7. **Ne rien** manger. 8. **N'**avoir **aucune** idée en tété. – **C.** 1. Nous regrettons de **ne pas** avoir plus de place. (standard usage) 2. Nous regrettons de **n'**avoir **pas** plus de place. (literary usage)

**PART ELEVEN, Day 71** – Verb: formation of the subjunctive
**A.** 1. Je voudrais **que** nous **regardions** attentivement. 2. J'aimerais **que** nous **voyions** plus clairement. 3. J'exige **que** tu **écrives** bien. 4. J'ordonne **que** nous **soyons** à l'heure. 5. Je doute **qu'**il **ait** assez compétence pour faire ce travail. 6. J'ai peur

qu'elle **aille**. 7. Je souhaite **que** vous m'**envoyiez** le colis. 8. Je désire **que** vous **vouliez** m'accompagner. 9. Je redoute **qu'**il **fasse** quelque chose mauvais. – **B.** 1. J'ai voulu **que** nous **ayons regardé** attentivement. 2. J'ai souhaité **que** nous **ayez été** plus claires. 3. J'ai exigé **que** tu **aies eu** des réponds. – **C.** 1. Je voulais **que** nous **regardassions** attentivement. 2. Je souhaitais **que** nous **fussions** plus claires. 3. J'exigeais **qu'**il **eût** des réponds. **D.** 1. J'avais voulu **que** nous **eussions regardé** attentivement. 2. J'avais souhaité **que** nous **eussions été** plus claires. 3. J'avais exigé **qu'**il **eût eu** des réponds.

**PART ELEVEN, Day 72 – Verb (objective v. subjunctive): Je pense qu'il est... J'aimerais qu'il soit...**
**A.** 1. J'espère **qu'**il **pleut**. 2. Je redoute **que** l'on le **sache**. 3. Je juge **que** c'**est** vrai. 4. Je sens **que** je progresse. (=objective) 5. Je souhaite **que** tu sois à mon côté. 6. Je suppose **qu'**il **ait** raison. – **B.** 1. Il **me semble** qu'il **va réussir**. 2. Sans aucun doute qu'il **va réussir**. 3. Je **redoute** qu'il **réussisse**.

**PART ELEVEN, Day 73 – Verb (Subjunctive** continue 1**): Imaginons qu'il fasse beau demain...**
 1. Penses-tu qu'elle **soit** jolie ? 2. Je trouve ça <u>normal</u> **qu'**il **promène** jusqu'à la rivière. 3. Je trouve <u>absurde</u> qu'ils **vivent** ensemble après le divorce. 4. Mais c'est <u>normal</u> **qu'**il **ait** beaucoup du succès. 5. <u>Imaginons</u> que demain aussi **qu'**il **fasse** beau. 6. **Qu'**elle **soit** charmante, c'est ce que tout le monde dit. 7. Ce **qui** est dommage, c'est que je ne **parte** plus.

**PART ELEVEN, Day 74 – Verb (Subjunctive** continue 2**): Il faut que... Il est vrai que...** (the impersonal)
 **A.** 1. **Il faut que** je **parte** maintenant. 2. **Il vaut mieux que** vous **restiez** dans les endroits plus sûrs. 3. **Il suffit qu'**on **appuie** sur ce bouton pour l'allumer. 4. Prends un parapluie ! **Il se peut qu'**il **pleuve** dans les heures qui viennent. 5. **Il arrive que** nous ne **soyons** pas tous d'accord. 6. **Il est rare qu'**il **échoue** à un

examen. 7. **Il y a des chances que** je ne **sois** pas chez mois dans la soirée. – **B. 1. Il est** <u>normal</u> qu'elle **soit** gentille avec moi. 2. **Il est** <u>honteux</u> qu'elle ne **puisse** pas venir avec nous. 3. **Il est** possible qu'elle **veut** venir avec nous. (-50%) 4. **Il est** possible qu'elle **veuille** sortir avec nous. (+50%) 5. **Cela** m'<u>agace</u> qu'on me **raconte** des mensonges.

**PART ELEVEN, Day 75** – Verb (**Subjunctive** continue 3): **Je cherche une personne QUI comprenne l'espagnol** (the relative subordinate)

1. Est-ce que tu connais des gens qui **vivent** dans des fermes ? 2. As-tu lu Guy de Maupassant ? – Le seul livre de lui que j'**aie lu** est *Bel-Ami*. 3. Je connais une personne qui **vit** dans un village, mais je ne connais personne qui **vive** dans une ferme. 4. Qui, parmi les humains, a vécu le plus longtemps ? – Selon *Le Mondial des Records Guinness*, l'homme qui a vécu le plus longtemps **ait été** Jeanne Louise CALMENT. Il est mort à l'âge de 122 ans et 164 jours. 5. Connais-tu un pays où tout le monde **puisse** parler le français ? – Oui, je connais un pays où tout le monde **peut** parler le français.

**PART ELEVEN, Day 76** – Verb (**Subjunctive** continue 4): **avant que l'été soit arrivé** (subjuctive with time relative)

1. Bois ce jus de fruits **avant que** tu **partes**. 2. **Aussitôt que** je suis arrivé chez moi, je me **suis couché**. 3. Je lis un journal **en attendant que** le train **arrive**. 4. **Tant que** tu es là, je **suis** content. 5. **D'ici que** nous **arrivions** à la gare, le train sera parti. 6. **Après avoir mangé** le déjeuner, je **suis parti** pour une promenade. 7. J'ai regardé la télé **jusqu'à ce que** je **me sois endormi**. 8. (J'ai terminé la conversation téléphonique. Puis j'ai mangé le déjeuner.) J'ai terminé la conversation téléphonique **avant de manger** le déjeuner. 9. **Dès qu'il a fini** le devoir, il est sorti. 10. Ne partez pas, **le temps que** je **sois** prêt.

**PART ELEVEN, Day 77** – Verb (**Conditional 1**): **Si tu veux, je viens avec toi.**

**A. 1. Si** tu **veux** fonder une famille, on se **mariera**. 2. **Si** nous **partons**

dès maintenant, nous **serions** à l'heure. 3. **Si** tu te **regardes** dans le miroir, tu **vois** la réflexion. 4. **Si** tu **as fait** une liste de choses à acheter, on **partira** faire les courses. 5. **Si** tu m'**appelles** au bureau et **que** je **sois** déjà parti, tu **peux** m'**appeler** sur mon téléphone portable. – **B.** 1. **Si** tu **dormais** plus de 6 heures par jour, tu **serais** moins fatigué(e) dans la journée. 2. **Si** je **faisais** plus attention, la situation **serait** moins grave. 3. **Si** tu n'**étais** pas là, je **serais** moins heureux. – **C.** 1. **Si** j'**avais eu** plus de temps, j'**aurais voyagé** dans beaucoup de pays exotiques. 2. **Si** je l'**avais su**, je t'**aurais** le **dit**.

## PART ELEVEN, Day 78 – Verb (Conditional 2): Je verrais Emme, je lui passerais ton bonjour.

**A.** 1. Tu **viendrais** chez moi, je **resterais** chez moi. / Tu **serais venu**(e) chez moi, je **restais** chez moi. / Tu **venais** chez moi, je **restais** chez moi. 2. Tu ne **mangerais** pas, je ne **mangerais** pas. / Tu n'**aurais** pas **mangé**, je ne **mangeais** pas. / Tu ne **mangeais** pas, je ne **mangeais** pas. 3. Vous **seriez** contents, nous **serions** contents. / Vous **auriez été** contents, nous **étions** contents. / Vous **étiez** contents, nous **étions** contents. – **B.** 1. Tu as un rendez-vous avec une nouvelle amie, cette amie n'**était** pas là, ne sors plus avec cette personne. / Tu as un rendez-vous avec une nouvelle amie, cette amie ne **soit** pas là, ne sors plus avec cette personne. 2. Tu te sens fatigué(e) et **où** tu **étais** somnolent(e), fais une sieste. / Tu te sens fatigué(e) et **que** tu **sois** somnolent(e), fais une sieste. 3. Tu es seul(e) et **où** aucun de tes amis **répondait** à tes appels, va manger dans un bon restaurant. / Tu es seul(e) et **qu'**aucun de tes amis **ne réponde** à tes appels, va manger dans un bon restaurant.

## PART ELEVEN, Day 79 – Verb (Conditional 3): objective v. subjunctive

**A.** 1. La décision finale **suivant que** nous le ferons ou pas **dépend** de toi. 2. Nous pouvons engager plus de gens **selon que** l'on **a** besoins plus d'effectifs. 3. Nous vous contacterons **dès lors** qu'il y **a** un poste vacant. 4. Nous pouvons vivre **du moment que** je **travaille**. – **B.** 1. Je t'inviterai **en supposant qu'**on **fasse** la fête. 2. Nous passons à l'étape suivante **si tant est que** l'étape actuelle **soit** finie. 3. Je serais étonné **en admettant**

**que** ce que tu as dit **soit** vrai. 4. Je ne le fais pas **à moins que** ce (ne) **soit** si important. (Reminder, "ne" alone is not negative) 5. **Qu'ils soient** d'accord ou (**qu'**ils ne **soient**) pas, tu décideras à ta façon.

## PART ELEVEN, Day 80 – Verb: the passive
**A.** 1. Un livre **a été** publié. 2. Le verrou **a été** cassé (**par** quelqu'un). 3. Le plat **a été** bon. 4. Ça **a été** (bon/comment) ? 5. Beaucoup d'arbres **ont été** tombés par la tornade. – **B.** 1. J'ai **fait couper** mes cheveux. 2. J'ai **fait livrer** le colis chez moi. 3. Je dois **faire réparer** mon four micro-ondes. 4. Je vais **faire faire** ce boulot. 5. Je vais **faire laver** mes vêtements sales. – **C.** 1. Il est détesté **par** sa copine. 2. Il est détesté **de** tous. 3. Cette bouteille est remplie **de** l'eau. 4. Ce bus est rempli **par** les voyageurs.

## PART ELEVEN, Day 81 – Verb (gerund/present participle): en lisant / la femme buvant un café
**Answers**
**A.** 1. Je prends une pause **à fumer** une cigarette. 2. Je l'ai croisé **en sortant**. 3. Il l'a accueillie **en** lui **souhaitant** la bienvenue. 4. Il a parlé **tout en** répétant. 5. J'ai sorti le chien **en promenant**. – **B.** 1. No, the present participle, -ant, does not agree with any subject. It's always invariable. 2. Example: *J'ai une amie **ayant** deux enfants.* 3. (a) Il y a des gens **alternant** entre deux lieux de résidence. (b) **Ayant** le savoir-faire, il peut t'aider. (c) Allô maman, j'ai croisé l'homme **qui** nous **aidait** il y a quelques années !

## PART ELEVEN, Day 82 – Verb (verbal adjective): une activité fatigante, un travail fatigant
**A.** 1. Le nombre de nos adhér**ents** augmente chaque mois. 2. Elle est une étudiante excell**ente**, excell**ant** en toutes les matières. 3. Il a vu une mère viol**ant** un enfant. 4. J'ai tenté de parler à la femme buv**ant** un café au soleil. 5. Une deuxième étape précéd**ant** une troisième – **B.** 1. Fatig**uant** tous autour d'elle, personne ne l'écoute. 2. Nous sommes entourés d'objets communi**cants**. 3. Il y a quelques arguments convainc**ants** dans son discours. 4. Une présentation convainq**uant** des nouveaux clients

## PART ELEVEN, Day 83 – Speech (direct & indirect): Elle me dit : « Je viens. » & Elle me dit qu'elle vient.

**A.** 1. Elle m'a demandé **quand** je reviens. 2. Elle a dit **qu**'elle veut qu'on sorte ce soir. 3. Elle m'a demandé **comment** j'ai résolu le problème. 4. Elle dit **qu**'elle est contente. 5. Elle me demande **où** on va. – **B.** 1. Elle m'aimait, **à tout le moins** le croyais-je. 2. Il le craignait, **aussi** évitait-il de le rencontrer. 3. Je voulais être avec elle, **aussi** allais-je la voir.

CPSIA information can be obtained
at www.ICGtesting.com
Printed in the USA
BVHW041052130119
537719BV00025B/1037/P